S0-BKS-089

シドニィ・シェルダン

氷の淑女 上

Sidney Sheldon

The Best Laid Plans

徳間書店

THE BEST LAID PLANS
by Sidney Sheldon

Copyright ©1997 by the Sheldon Literary Trust
First published 1997 in Japan
by Tokuma Shoten Publishing Co., Ltd.
All rights reserved including the rights
of reproduction in whole or part in any form.

Ⓡ〔日本複写権センター委託出版物〕
本書の全部または一部を無断で複写複製(コピー)することは、
著作権法上での例外を除き、禁じられています。
本書からの複写を希望される場合は、
日本複写権センター(03-3401-2382)にご連絡下さい。

The Best Laid Plans

Sidney Sheldon

氷の淑女・上

シドニィ・シェルダン

〈主な登場人物〉

レスリー・スチュアート……本書のヒロイン、一大マスコミ帝国の女帝。
オリバー・ラッセル……弁護士、州知事そして大統領に。
ジャン……その妻。
トッド・デービス……上院議員、ジャンの父。
ピーター・テイガー……デービスの参謀、のち大統領首席補佐官。
サイム・ロンバルド……オリバー・ラッセルの問題処理係。
ヘンリー・チェンバーズ……フェニックス・スター紙社主。
マット・ベーカー……ワシントン・トリビューン・エンタープライズ編集局長。
ダナ・エバンズ……ワシントン・トリビューン・エンタープライズのスター記者。
ケマル……サラエボの戦争孤児。
ジェフ・コナーズ……ワシントン・トリビューン紙スポーツ欄担当。
フランク・ロナガン……ワシントン・トリビューン記者。
シルバ・ピコーネ……イタリア大使夫人。
ミリアム・フリードランド……オリバー・ラッセルの州知事時代の秘書。
ジャッキー・ヒューストン……コロラド州知事。
クロエ・ヒューストン……コロラド州知事の娘、見学旅行中薬物中毒死。
ポール・ヤービー……クロエのボーイフレンド。
ニック・リース……ワシントン首都警察の刑事。
ゾルテール……占星術師。

装画＝宇野亜喜良
装幀＝川畑博昭

第一章

レスリー・スチュアートは、新しい日記帳の第一ページにこう記した。
《わたしの日記よ　わたしはけさ、将来、結婚することになる男性と出会ったの》
この無邪気で、楽天的な文章の書き出しには、これから起こる数々のドラマチックな事件を予感させるものは、なにもなかった。

その日は、めったにない気持ちのいい日だった。なにか幸運にめぐり会えそうな、悪いことなどなにひとつ起こりそうもない、そんな日だった。
レスリー・スチュアートはインテリジェンスに富んだ女性で、ふだんは運勢とか占いなどに興味を持つことはなかった。ところが、新聞をパラパラめくっていると、いつもならやり過ごしてしまう星占いが目にとまった。レキシントン・ヘラルド・リーダー紙が売り物にしている、占星術師ゾルテールのコラムである。レスリーはなにげなく自分の星座、獅子《しし》座のところを見た。

《獅子座（七月二三日〜八月二二日）新月があなたの愛情面を照らします。あなたはいま、太陰周期の真っただ中にいますから、身のまわりに起こる新しい出来事に注意するように。あなたと相性のよい星座は、乙女座です。きょうは吉日。大いに楽しんでください》

〈大いに楽しめって、なにを楽しむのよ〉

レスリーは苦笑いしながら思った。

〈きょうはいつもの日と、変わりはないはずよ。星占いなんかを信じる人たちの気がしれない。くだらない迷信にきまってるじゃないの〉

レスリー・スチュアートはケンタッキー州レキシントンにある広告代理店、ベイリー＆トムキンズ社の広報・広告担当の部長だ。

その日の午後には三つの会議を抱えていた。まず最初が、ケンタッキー肥料会社との会議。そこの役員たちはレスリーが制作した新しい広告にぞっこんだった。彼らがだんぜん気に入っているのは、宣伝文句の出だしのセリフ。《もしもあなたがバラの香りを嗅《か》ぎたいと思うなら……》

二つ目の会議は、ブリーダーズ種畜会社の人たちと。そして三つ目がレキシントン石炭会社だ。

〈なにが吉日よ〉

とレスリーはつぶやいた。

レスリーはまだ二〇代後半だった。人目を惹《ひ》くすらりとした肢体と、エキゾチックで生き生きした顔、グレーの、やや吊り気味の目と、高い頬骨《ほおぼね》を持つ。ハチミツ色のやわらかくてエレガントなロングヘアーを、シンプルに流している。彼女は以前、友だちに言われたことがある。

「ねえあなた、美人で、頭がよくて、ヴァギナという女性器官があれば、世界だって手に入れられるのよ」

レスリー・スチュアートは十分に美しかった。IQは一七〇あり、女性ならではの器官も神が造化の妙をほどこしてくれている。だが、だんだんとレスリーにわかってきたのは、自分が外見の美しさゆえに損をしているということだった。男たちはたえずデートに誘ったり、結婚を申し込んできたりした。しかし、外見の内側にあるほんとうの彼女を知ろうとする男とは、ついぞ巡り合うことがなかった。

ベイリー＆トムキンズでは、二人の秘書を別にすれば、女性はレスリーだけだった。男性社員は一五人いた。レスリーは入社して一週間とたたないうちに、わかったことがある。自分が男性社員のだれよりも頭がいいということだ。わかったけれども、それは胸の内にしまっておくことにした。

入社してほどなく、二人の共同経営者から別々に口説かれた。一人は、いささか太りすぎの四〇代で、説教口調が鼻につくジム・ベイリー。もう一人は、ジムより一〇歳も若いくせにいつも食欲不振を訴えていて、すぐに興奮しやすいタイプ。二人とも似たような口説き文句で、彼女をベッドに連れ込もうとした。

レスリーはこう言って、二人をあっさりとかわした。

「もう一度そんなことをおっしゃったら、わたし、会社を辞めます」

このひとことで、その件はおしまいになった。会社にとって、レスリーは失うにはあまりにも惜しい存在だったからだ。

いまの仕事についた最初の週のある日のこと、コーヒーブレークのときに、レスリーは同僚の男性社員たちに小咄《こばなし》を披露した。

「三人の男が女の仙人に出会いました。仙女は男たちに、一つずつ願いを叶《かな》えてあげることにしました。最初の男は、『ぼくは今よりも二五パーセント利口になりたい』と言いました。仙女が目をパチッと動かすと、男は言いました。『やあ、もう利口になった気分だ』。

二番目の男が言いました。『今より五〇パーセント利口になれたらなあ』。仙女がまばたきをしました。すると男が叫びました。『素晴らしい！　これまでわからなかったことが、わかってきたぞ』。

さて、三番目の男です。彼はこう言いました。『ぼくは今より一〇〇パーセント利口になりたい』。仙女が目をパチリとさせました。するとどうでしょう、彼は女になってしまったのです」

レスリーは、さあ、いかが、とばかりに期待を込めて、男性たちの反応を見回した。ところが彼らは、だれ一人として笑うでなく、じっと彼女を見つめているだけなのだった。

レスリーは憮然《ぶぜん》とした。

〈まいったわ〉

第一章

星占いが約束した「吉日」は、その朝一一時に始まった。

レスリーの小さな狭苦しいオフィスに、ジム・ベイリーが入ってきて、こう言った。

「うちにとって初めてのクライアントが見えるんだ。ついては、そちらをきみに担当してもらいたいんだ」

レスリーはすでに手いっぱいだった。会社のだれよりもたくさんの顧客を抱えているのだから。だが、逆らっても無駄なことはわかっていた。

「いいですよ」

と彼女は答えた。

「で、どこの会社なんです？」

ジムが答えた。

「会社じゃない。個人なんだ」

「個人？」

「そう。オリバー・ラッセルのことは、もちろん知っているよね」

オリバー・ラッセルのことなら、だれでも知っている。地元の弁護士である彼は、いまや州知事をめざす候補者として、その顔をケンタッキー中のマスコミや街頭広告にさらしていた。

三五歳にしてすでに弁護士として輝かしい業績を上げた彼は、州内で「結婚したい独身男性」のナンバーワンとして雑誌に取り上げられていた。レキシントンの主なテレビ局、ＷＤＫＹやＷＴＶＱ、ＷＫＹＴ、それにローカルラジオ局のなかで人気のあるＷＫＱＱＦＭやＷＬＲＯのトークショーには、いつも常連として顔を出し、声を聞かせていた。

すごいハンサムで、くせ毛の黒みがかった髪に黒い瞳、運動選手なみの筋肉質の体格、それに人の心を溶かすようなあたたかい笑顔……。噂では、彼はレキシントンのおもだったご婦人とは、ほとんどベッドを共にしたという。

「ええ、知ってるわ。会ったことはないけど。うちの社が、彼のために何をしようというんですか？」

「彼がケンタッキー州知事になるのに力を貸すのさ。いま、こっちに向かっているそうだ。よろしく頼むよ」

数分後、オリバー・ラッセルが到着した。レスリーはため息をつきそうになった。じかに見る彼は、写真よりもずっと魅力的だった。

オリバーはジムからレスリーを紹介されると、やさしい笑顔を見せた。

「あなたのことはいろいろ伺っています。ぼくのキャンペーンを手掛けてくださると聞いて、とっても喜んでいるんですよ」

ジムが立ち去り、二人が残された。

オリバーは、レスリーが予想していた人物像とはまるで違っていた。この人には、相手がどんなに敵意を抱いていようとも、それをすっかり取り除いてしまう誠実さが感じられた。

「とにかく……お掛けになって」

レスリーは言葉を詰まらせながら言った。

オリバー・ラッセルが腰をおろした。部屋の中が明るくなるというのは、女性の場合にだけ用いられる形容詞ではなかった。

「では、いくつか質問させていただきます」

レスリーが言った。

「あなたはなぜ知事に立候補なさったんですか?」

「ごく単純な動機です。ケンタッキーはすばらしい州だ。ここに住むわれわれはそのことを知っている。そしてその魅力を楽しんでいる。でも、この国の多くの人たちは、われわれを田舎者だと思っている。ぼくはそういうイメージを変えたいと思っているんです。ケンタッキーはほかの州が束《たば》になってかかってきても、負けないものを持っているんです。いいですか?……」

黒い瞳がレスリーを見つめている。彼女は、彼の話にしだいに引きずりこまれていった。

「この国の歴史はここから始まったんですよ。なんといっても、アメリカ最古の州議事堂があるんですから。ケンタッキーからは、二人の大統領が出ています。かの有名なリンカーンと、南部連合の大統領ジェファーソン・デービスとね。ケンタッキーは開拓者ダニエル・ブーンの拓いた土地であり、有名な案内人で、猟師でありながら義勇兵にもなったキット・カーソンや、開拓時代の治安判事ロイ・ビーンを出した土地なんだ。まだ、ある。ここの景色は世界一だ。驚異的な洞穴、いくつもの美しい川、緑の草の茂る平原、なにもかもが美しい。ぼくはここのすべてを、世界に教えてやりたいんだ」

彼の話には強い説得力があった。レスリーは、自分が彼に強く惹《ひ》かれていくのを感じた。けさの星占いの記事が思い出された。

《新月があなたの愛情面を照らします。きょうは吉日。大いに楽しんでください》

オリバーの話は続いていた。

「このキャンペーンがうまくいくかどうかは、あなたがぼくの考えに、強い共感を持ってくれるかどうかにかかっていると思うのだが……」

「共感しますわ」

レスリーは即座に言った。

〈返事が早すぎたかしら？〉

「ほんとうに、同感よ」

それから、ちょっとためらいを覗《のぞ》かせて訊《き》いてみた。

「ひとつ質問してもいいかしら？」

「どうぞ」

やわらかな笑みがこちらに投げかけられていた。

「あなたの星座はなに？」

「乙女座ですよ」


オリバー・ラッセルが帰ってから、レスリーはジム・ベイリーの部屋に出向いて言った。

「あの人のこと、気に入ったわ。誠実で、心からこの州のことを思っているの。きっとすばらしい知事になるでしょう」

ジムは考え深げに彼女を見た。

「それほど簡単にはいきそうにもないぞ」

「あら、どうして？」

レスリーはその意味を測《はか》りかねて、ジム・ベイリーを見つめた。

ベイリーは肩をすくめた。そしてこう言った。

「わたしにもわからないのだが、どうも不可解な現象が起きているんだ。これまでラッセルはあらゆる広告、テレビに出ていただろう？」

「ええ」

「それが、止まったのさ」

「理解できないわ。なぜなの？」

「たしかなことはだれも知らない。ただ、妙なうわさが飛び交っている。うわさの一つはこうだ。だれか有力な人物がオリバーのバックについていて、これまで彼のキャンペーンの資金も提供してきていた。それが突然、なんらかの異変が起きて、彼を放り出したとね」

「勝ちが見えているキャンペーンのさいちゅうに？　そんなばかなことってあるかしら」

「たしかに、言うとおりだ」

「彼はなぜうちの社に来たの？」

「心底《しんそこ》、知事になりたいからさ。彼は相当な野心家だと思うよ。しかも、自分の手で現状を変えられると、まじめに考えている。彼がわれわれに望んでいるのは、金のかからないキャンペーンを編み出して、それを実行してくれることだ。もはや放送時間を買ったり、宣伝に金をかけたりはできないってわけさ。しかし、うちが彼のためにしてやれることといえば、インタビューを設定したり、新聞がほしがるようなネタをうまく提供したり、まあ、その程度のことだな」

「相手候補は現職の知事でしたっけ？」

「ああ、アディソン知事は自分のキャンペーンに、ひと財産使っているよ。この二週間で、ラッセルの予想得票数は下降した」

ジムは頭を左右に振り、気の毒そうに言った。

「ひどいよなあ。オリバーはいい弁護士で、公共のためにいい仕事をたくさんしている。きっといい知事になれたろうに」

その夜、レスリーは新しい日記帳の一ページ目に、こう記した。

《わたしの日記よ　わたしはけさ、将来、結婚することになる男性と出会ったの》

レスリー・スチュアートは、のどかな少女時代を過ごした。

彼女はきわめて頭のよい子だった。父親はレキシントン・コミュニティ・カレッジで英文学の教授をしていた。母親は専業主婦だった。レスリーの父親は貴族的で、知的でハンサムな紳士だった。家族思いで、休暇のときはいつも家族といっしょに旅行をして過ごした。

父は娘を溺愛《できあい》し、こんな言葉さえ口にした。「おまえはパパの恋人だよ」

彼は娘に、なんておまえはきれいなんだろう、と語りかけ、彼女の成績から立居振舞《たちいふるま》い、そして友だちにいたるまでを褒《ほ》めそやした。だからレスリーは、父の目の前で悪いことはできなかった。九歳の誕生日に、父は袖口《そでぐち》にレースがついた美しい茶色のベルベットの服を買ってくれた。彼はディナーに自分の友だちを呼ぶと、レスリーにその服を着させて見せびらかし、「この子は美人だろう？」と言うのだった。

レスリーは父親を、世界でいちばん崇《あが》めていた。

一年後のある朝、レスリーのすばらしい生活は一瞬のうちに潰《つい》えた。涙で汚れた顔をした母親が、彼女を座らせてこう言ったのだ。

「おまえ……お父さまは……行ってしまったの」

レスリーは最初、なんのことかわからなかった。

「いつ、戻るの？」

「もう戻らないのよ」

その言葉は、鋭いナイフのようにレスリーに突き刺さった。

〈お母さまがパパを追いだしたんだわ〉

レスリーは思った。

これから母は離婚し、わたしの養育権をめぐって父と争わなければならないのだと思うと、母のことが気の毒になった。なぜなら、パパは絶対にわたしを手放したりはしないから。絶対に。

〈パパはわたしを迎えにくるわ〉

レスリーはそう自分に言い聞かせた。

父親は、数週間が過ぎても現れなかった。

〈パパはだれかに邪魔をされて、わたしに会いに来られないんだ〉

レスリーは考えた。

〈お母さまが、パパにきびしく罰を与えているんだわ〉

養育権の争いなどはない、と教えてくれたのは年とった伯母だった。レスリーの父親は、同じ大学で教鞭《きょうべん》をとる未亡人と恋に落ち、ライムストーン通りの女の家に移り住んだのだった。

ある日、母親と買物に出たとき、母はその家を指さして苦々しそうに言った。

「あれがあの人たちの住んでいる家だわ」

レスリーは父を訪ねる決心をした。

〈パパがわたしを見たら、きっと家に戻る気になる……〉

金曜日の放課後、レスリーはライムストーン通りの家に行き、ベルを鳴らした。ドアが開いた。顔を出したのは、レスリーと同じ年頃の女の子だった。その子は袖口にレースのついた茶色のベルベットの服を着ていた。レスリーはショックを受けて、黙って女の子を見つめた。

少女もレスリーを怪訝《けげん》そうに見た。

「あなたは、だれ？」

レスリーはくるりと振り返ると、一目散に駆け出していた。


つぎの一年間、レスリーは母の無惨な姿を見ながら暮らした。母は無口になり、家の中に引きこもったままだった。もはや人生に関心をもつことを、すっかりやめてしまっていた。レスリーは、

「失意のあまり死ぬ」という表現は単なる言葉のあやだと思っていたのに、現実に母親が衰え、そして死んでいくのを、なすすべもなく見ていなくてはならなかった。お母さんはどうして亡くなったの、と人から聞かれると、レスリーはこう答えた。

「失意がもとで死にました」

母を看取《みと》ったとき、レスリーは一つのことを決心した。わたしがママみたいな立場になるようなことは、どんな男にもさせないわ、と。

母の死後、レスリーは伯母の家に移った。ブライアン・ステーション・ハイスクールに通い、ケンタッキー大学を最優秀の成績で卒業した。カレッジでの最後の年にはビューティクイーンに選出され、モデルのプロダクションからいくつも声がかかった。だが、彼女は断った。

男性関係は、二度、短い経験をした。一度は大学のフットボールの花形選手と。もう一度は、受講した経済学の教授とだった。レスリーはすぐにこれらの男に飽きた。じつのところは、彼女のほうがどちらの相手よりも頭が良かったのだ。

卒業する寸前に、伯母が亡くなった。レスリーは大学を出ると、広告代理店のベイリー&トムキンズに職を求めた。会社はヴァイン通りにあった。銅葺《ぶ》き屋根をいただくレンガ造りのU字型の建物のなかにあり、中庭には噴水があった。

社長のジム・ベイリーは、レスリーの履歴書を見てうなずいた。

「たいへんけっこうです。あなたは幸運ですな。ちょうど秘書を一人、ほしいところでした」

「秘書ですって？　わたしはてっきり……」

「なんです？」

「いえ、なんでもありません」

レスリーは秘書として勤めはじめた。社内会議の記録をとるのが、その仕事だった。記録をとっているあいだにも、心のなかでは会議で討議中の広告キャンペーンの改善方法について、あれこれ頭をめぐらせていた。

ある朝、担当の部長が言った。

「ランチョ・ビーフ・チリの件ですが、またとないシンボルマークを考えつきましたよ。缶のラベルにですね、牛を投げ縄でつかまえているカウボーイの絵をつけるんです。いいでしょう？　新鮮な牛肉だとわかるし……」

〈ムカつくアイディアだわ〉

レスリーは胸の内でつぶやいた。

全員の目が彼女に集中していた。なんてことだ、レスリーはそれを声に出して言っていたのだ。

「お嬢さん、どういうことか、説明してくれるかね？」

「そのう……」

どこへでもいい、逃げ出したかった。しかし全員が注視していた。レスリーは深呼吸をして言った。

「肉を食べるときは、みなさん、死んだ動物を食べていることなど、思い出したくないのではないでしょうか」

重苦しい沈黙が流れた。ジム・ベイリーは咳払《せきばら》いをした。

「この件については、もう少し考えたほうがいいいな」

つぎの週、新しい化粧石鹸《せっけん》をどのように宣伝するかというテーマで会議が行われた。部長の一人がこんな案を出した。

「美人コンテストの入賞者を使おうよ」

「あのう、よろしいでしょうか」

レスリーがおずおずと口を開いた。

「それって、ありきたりだと思うんです。こういうのはどうでしょう。世界の航空会社の美人スチュワーデスを使って、この化粧石鹸が全世界的な商品であることを示すんです」

それからの社内会議では、男たちはなにか意見をもとめるために、ついレスリーのほうを見てしまうのだった。一年後、レスリーはジュニア・コピーライターになった。二年後には部長になり、広告と広報を担当した。

オリバー・ラッセルの仕事は、レスリーがこの会社に入って以来はじめての大仕事だった。オリバーが来社してから二週間後、ベイリーはレスリーに、この依頼は断ったほうがいいのではないかと提案した。理由は、オリバーがこの会社の規定料金をとても払えそうにないから、とのことだった。しかし彼女はベイリーを説得して、この仕事を続けることにした。

「これは公共のための仕事だと考えていただきたいの」

レスリーはそう言った。

ベイリーはちょっと彼女を眺め、やがてうなずいた。

「わかったよ」

レスリーとオリバー・ラッセルは、トライアングル公園にいた。ひんやりとした秋の一日だった。湖からわたってくるそよかぜを受けながら、二人はベンチに腰を降ろしていた。

「ぼくは政治が嫌いだ」

オリバー・ラッセルが言った。

レスリーは驚いて彼を見た。

「それじゃ、どうしてあなたは……？」

「ぼくが立つのは、制度を変えたいからなんだ、レスリー。これまでの政治は、ロビイストと大企業とに牛耳られてきた。彼らは悪いやつらを権力の座につけ、そいつらを裏で操る。ぼくが当選したら、やりたいことがたくさんある」

彼の声が情熱的に激してきた。

「この国を治める人たちは、この国をクラブのＯＢ会みたいにしてしまった。彼らは国民のことを気にかけるよりも先に、自分たちのことを心配する。それは正しいことではない。ぼくはそこを正してみせるつもりだ」

オリバーが話すのを聞きながら、レスリーは考えていた。

〈彼ならできるわ〉

彼には人の気持ちを奮い立たせる魅力があった。実際、レスリーは、彼のどんなところを見ても、奮い立つ思いだったのだ。これまで、男性に対してこんな心境になったことはなかった。それは目からうろこが落ちたような、そんな新鮮な経験だった。

彼がレスリーをどう思っているかは、知るすべもない。オリバーはいつも完璧《かんぺき》な紳士だったから。

〈まったく、もう。だれからもモテるんだから〉

レスリーが見ていると、いろんな人が公園のベンチに近寄ってきた。オリバーと握手をしたり、うまくいくといいですね、と励ましの言葉をかけたりする。女たちは、そばにいるレスリーのことを、まるで短剣でも投げつけるような目つきで見た。

〈あの人たちは彼とデートした仲なのかもね〉

とレスリーは思った。

〈たぶん、みんなベッドを共にしたんだわ。でも、わたしの知ったことじゃない〉

レスリーがほかから聞いたところによると、彼は最近まで上院議員の娘と付き合っていたという。

それはどうなったんだろう？

〈それも、わたしには関係のないことだわ〉


オリバーのキャンペーンがうまくいってないことは、隠すことのできない事実だった。スタッフに払う資金がなく、テレビ、ラジオ、新聞広告もなし。これではアディソン知事と競争するのはとうてい無理だった。アディソン知事の顔写真はいたるところにあって笑いを振りまいていた。レスリーは、会社のピクニックや、工場、そして無数にある社交の集まりにオリバーが顔を出せるように手配した。だが、これらはみな二流のメディアであることが、彼女自身にもわかっていた。彼女は無力感を味わいつつあった。

「予想得票の最新集計を見たかい？」

ジム・ベイリーがレスリーに聞いた。

「きみの坊やの票はどんどん落ちているよ」

〈わたしがそれを食い止めればいいんだわ〉

レスリーは思った。


レスリーとオリバーはレストラン、『シェヌー』でディナーをとっていた。

「うまくいってないんだね？」

オリバーが静かに言った。

「まだ時間はたっぷりあるわ」

レスリーは安心させるように答えた。

「有権者たちが、あなたのことをもっと知ってくれれば……」

オリバーは首を振った。

「予想得票はぼくも見た。きみはぼくのためにあらゆる努力をしてくれた。どんなにありがたく思っているか知ってもらいたい」

レスリーはテーブルを挟んで向き合った彼を見つめながら考えた。

〈彼はこれまで会ったなかで一番すばらしい男。なのにわたしは彼を助けられない〉

彼をぎゅっと腕に抱き締め、慰めてあげたかった。

〈彼を慰めてあげるですって？　わたしったら、なにを考えてるの〉

二人が出ようとして立ちかけたとき、可愛い女の子を二人連れた夫婦らしいカップルが、テーブルに近づいてきた。

「オリバー！　元気にしてますか？」

声を掛けてきたのは、四〇代の魅力的な男性で、片方の目につけた黒いアイパッチが、愛想のいい海賊、といったくずれた印象を与えていた。

オリバーは立ち上がって、手を差しのべた。

「やあ、ピーター。こちらはレスリー・スチュアート」

レスリーにも男を引き合わせた。

「こちらはピーター・テイガー」

「はじめまして、レスリー」

「はじめまして」

テイガーは家族のほうを見やって、

「これが妻のベッツィー、そしてこちらがエリザベス、こちらがレベッカ」

彼の声は大いに誇らしげだった。

ピーター・テイガーはオリバーに言った。

「こうなったことについては、とても残念に思っているんですよ。まったくひどいことだ。なんとかしたいと思ったものの、わたしにはどうしようもなくてね」

「わかってるよ、ピーター」

「あのとき、わたしが力になれていたら……」

「気にしないでおくれ。ぼくは大丈夫だから」

「幸運を祈るばかりですよ」

帰りの道すがら、レスリーは訊ねた。

「いったい、なんのことだったの？」

オリバーはなにかを言いかけて、口をつぐんだ。

「たいしたことじゃない」


レスリーはレキシントンのブランディワイン地区にある小ぎれいなワンルームのアパートに住んでいた。アパートに近づいたとき、オリバーはためらいがちに口を開いた。

「レスリー、代理店がぼくの仕事を、ほとんどただでやってくれているのはわかっている。でも、率直に言って、きみは時間を無駄にしているよ。いま、ぼくが思い切ってやめたほうがいいのかもしれない」

「だめよ」

レスリーは言った。その声の強さに、われながらびっくりするほどだった。

「あなたがやめてはだめ。うまくいく方法を考えましょう、わたしたち二人で」

オリバーは向き直って、彼女を見た。

「きみは心からぼくに関心を持ってくれている。そうだね？」

〈彼の言葉を深読みしてはいけないかしら？〉

一瞬、そんなことが頭をよぎったあと、彼女はそっと答えていた。

「ええ、ほんとに関心があるわ」

アパートに着くと、レスリーは深く息を吸い込んだ。つぎに出た言葉はこうだった。

「お入りにならない？」

彼はじっと彼女を見つめた。

「ああ」

あとになって考えると、どちらが最初に行動を起こしたのか、レスリーにはわからなかった。覚えているのは、二人がたがいの服を脱がせたことと、つぎには彼の腕のなかにいたことだった。

二人は野性にかえったような性急さで、激しく交わった。そのあとは、リラックスしてゆっくりと溶けあい、無限と思えるばかりの恍惚《こうこつ》のリズムが続いた。それはレスリーがかつて経験したことのないすばらしい感覚だった。

二人は一晩中、愛し合い、むさぼり合った。オリバーの欲望は、魔術を使っているかのように疲れを知らず、与えると同時に欲しがり、いつ果てるともなく続いた。彼の肉欲は獣のようだった。

レスリーは思った。

〈でも、どうでしょう、わたしだって同じだわ〉

朝になった。オレンジジュース、スクランブルエッグ、トーストとベーコンの朝食をとりながら、レスリーが言った。

「オリバー、金曜日にはグリーン・リバーレイクでピクニックがあるの。大勢の人が集まるわ。あなたがそこでスピーチをするよう、手配するわ。ラジオの時間を買って、あなたが行くのを皆に知らせましょう。それから……」

彼がさえぎった。

「レスリー、ぼくにはそんな金はないんだよ」

「いいえ、心配しないでいいの」

レスリーは軽やかに言った。

「会社が払うわ」

会社が払ってくれる可能性はまずなかった。それはレスリーにもわかっている。彼女は自腹を切るつもりでいた。ジム・ベイリーにはこう言おう。お金はラッセルの支持者が寄付してくれたと。

〈彼を助けるためには、どんなことだってするわ〉

グリーン・リバーレイクのピクニックには二〇〇人が集まった。オリバーはその人たちに向かって、非常にすばらしい演説をした。

「この国の半分の人たちは投票に行きません」

と彼は群衆に語りかけた。

「世界の先進国のなかで、わが国の投票率は最低です。五〇パーセントにも満たないのです。あなたが現状を変えたいと思うのなら、改革するのはあなたの責任なのです。いや、責任というよりも、権利ということができるでしょう。まもなく選挙があります。あなたがご自分の票をわたしに下さるにしても、あるいはわたしの競争相手に与えるとしても、とにかく投票してください。投票所に行ってください」

人々は彼に喝采《かっさい》をおくった。


レスリーは、オリバーができるだけ多くの行事に姿を見せるようにスケジュールを整えた。小児向けクリニックの開所式では司会をつとめ、新しい橋の除幕式にも出席した。婦人会の集会、労働者団体、チャリティの会、老人ホームなどで話をした。それでも、得票予想は下降線をたどりつづけた。

キャンペーンがないとき、オリバーとレスリーはいつもいっしょにいるようになった。トライアングル公園では二人で馬車を乗り回し、土曜日の午後は骨董市《こっとういち》をひやかして歩き、『ラ・ルーシー』で夕食をとった。オリバーは、春の到来を占う聖燭節《せいしょくせつ》や、南北戦争でのブルランの戦いを記念する日には、レスリーに花を贈り、留守番電話に愛のメッセージを入れた。

「愛する人、きみはどこ？　きみが恋しくて、恋しくて、恋しくて」

「ぼくはきみの声が聞ける留守番電話にうっとりしている。どうしてこんなにセクシーな声なのか、教えてくれないか」

「こんなに幸せだなんて、法に触れるんじゃないかと思うほどだよ。きみを愛してる」

レスリーは二人で出かけられるなら、行き先はどこでもよかった。ただもう、彼といっしょにいたかった。

二人のデートのなかでも、とりわけ胸の躍《おど》る体験をしたのは、日曜日にラッセルフォーク川の急流を筏《いかだ》で下ったときだ。初めはどうということのない穏やかな流れだった。それが山裾《やますそ》が迫ってくるにつれて、川の流れは波しぶきを立てはじめ、岸に当たって大きく弧を描くときには耳をつんざかんばかりの音を立てた。早瀬では垂直に、息を飲むような落下が続いた。一メートル半……二メートル……三メートル……筏の艇身を超える高さだ。船旅は三時間半かかり、筏を下りたときには二人ともびしょぬれで、たがいの無事を喜び合った。二人はずっと手を握り合っていた。彼らは丸木小屋で、車のバックシートで、森の中で、愛し合った。

初秋のある夜、オリバーは自宅で夕食をもてなしてくれた。レキシントンのベルサイユ地区にある魅力的な住居だった。醬油とガーリックとハーブでマリネしたステーキを焼いて、ベークドポテトとサラダを添えた料理。それに上質の赤ワインが加わった。

「あなたはすばらしいコックね」

レスリーは彼にすり寄って言った。

「ほんとにあなたという人は、どこもかしこもすばらしいわ、ダーリン」

「ありがとう」

彼はそれから、ふと思い出したように言った。

「ちょっと見せたいものがあるんだ。きみと試してみたい」

彼は寝室に消え、まもなく透明な液体の入った小瓶を手にして戻ってきた。

「これだ」

「それ、なんなの？」

「エクスタシーって聞いたことあるかい？」

「聞いたどころじゃないわ。歓喜の状態のことなら、わたしはいま、そのさなかにいるわ」

「いや、愛を高めるクスリのエクスタシーのことだよ。これはリキッド・エクスタシーといって、普通のものよりさらに強力なんだそうだ」

レスリーは眉《まゆ》をひそめた。

「ダーリン……あなたはそんなもの要らないわ。わたしたちには必要のないものよ。危険かもしれないでしょ」

ためらった末に、彼女は訊ねた。

「あなたは、それを使ったこと、あるの？」

オリバーは笑った。

「実をいうと、ない。レスリー、そんな顔をしないで。ある友人が、使ってみてはどうかとよこしたんだよ。きょうが使い初めさ」

「使うのはよしましょうよ」

レスリーが言った。

「それ、捨ててくださる？」

「わかった。そうする」

彼はバスルームに消えた。まもなくトイレの水が流れる音がした。

オリバーが現れた。

「全部、捨てたよ」

彼はにこっと白い歯を見せて笑った。

「瓶に入ったエクスタシーなど、だれが必要とするもんか。ぼくなんか、もっといい包装でそれを身につけているんだからな」

それからレスリーを腕に抱き締めた。

レスリーはこれまでラブストーリーをいくつも読み、ラブソングを何曲も聴いていた。だけど、実際がこれほど信じがたいくらい素晴らしいものだとは、夢にも思っていなかった。オスカー・ハマースタインの歌詞の一節、「わたしは愛して、わたしは愛して、わたしは愛して、わたしは愛して、わたしは愛している、すばらしい彼を」のことを、なんてくどくて、ばかげた歌詞なんだろうと思っていた。いまはそうではないことが理解できる。ほんとうに、何度言っても言い足りないくらいだ。世界が突然、輝きを増し、いちだんと美しくなった。すべてのものに魔法がかかったみたいだった。そう、その魔法の主はオリバー・ラッセルだった。


ある土曜日の朝、オリバーとレスリーはブレークス・インターステート公園をハイキングして、壮大な四方の景色を楽しんだ。

「このコースは初めてだわ」

レスリーが言うと、オリバーはにこっと笑みを浮かべて言った。

「楽しめると思うよ」

二人は小径の曲がり角にさしかかった。そこを曲がったとき、レスリーは呆然《ぼうぜん》として立ち止まった。小径の真ん中に、手書きの木製の看板が置いてあった。

《レスリー、結婚してくれるかい？》

レスリーの心臓が高鳴った。言葉も出せずに振り返った。

オリバーが彼女を抱き寄せた。

「してくれるね？」

レスリーは驚いていた。

〈どうしてこんな幸運をつかめたのかしら？〉

彼をぎゅっと抱き締めて、レスリーはささやいた。

「ええ、ダーリン。もちろんよ」

「残念ながら、きみが知事と結婚することになるとは、確約できない。でも、ぼくはかなりいい弁護士だ」

彼女は彼に身を寄せてささやいた。

「それで十分よ」

数日後の夜、レスリーがオリバーとのディナーに出かけるために身仕度をしていると、彼から電話があった。

「ダーリン、申し訳ないが緊急の用事ができた。今夜、会議に出なければならない。ディナーはキャンセルだ。許してくれる？」

レスリーはほほ笑み、やさしく答えた。

「許してあげるわ」

つぎの日、レスリーがステート・ジャーナル紙を取り上げると、こんな見出しが目に飛び込んできた。

《女性の死体発見、ケンタッキー川で》

記事はこう書かれていた。

《けさ早く、レキシントンの東一〇マイルのケンタッキー川で、二〇代前半と見られる全裸の女性の死体が警察によって発見された。死因は検視の結果を待ち……》

レスリーは身震いした。

〈こんなに若くて死ぬなんて。恋人はいたのかしら？　夫は？　わたしは感謝しなくては。生きていて、こんなに幸せで、こんなに愛されているのだもの〉

レキシントンの町全体が、来るべき結婚式のことを噂し合っているように見えた。レキシントンは小さな町だし、オリバー・ラッセルは人気のある人物だったから。黒っぽい髪のハンサムなオリバーと、容姿端麗でハチミツ色の髪を持つレスリーは、華やかなカップルだった。結婚のニュースはまたたくうちに広がっていた。

「きみの彼氏は、どんなに幸運をつかんだことか、わかっているんだろうね」

ジム・ベイリーがそう言った。

レスリーはほほ笑んだ。

「幸運なのは、わたしたち二人ともですわ」

「駆け落ちでもするのかね？」

「いいえ。オリバーは正式な結婚を望んでいるの。カルバリー教会で式を挙げます」

「その佳き日は、いつだね？」

「六週間後に」

数日後、ステート・ジャーナル紙の第一面に、つぎのような記事が載った。

《溺死した女性の身元は、ライザ・バーネットとわかった。検視の結果、死因は薬の度を超した服用と判明した。この薬は、リキッド・エクスタシーの名で知られる不法で危険な……》
〈リキッド・エクスタシー！〉
レスリーはオリバーとのあの夜のことを思い出した。彼女は胸をなでおろしながら、こう考えた。
〈彼があの瓶を始末してくれてよかった〉

つづく数週間は、結婚式の準備でめちゃくちゃに忙しかった。やることが山ほどあった。招待状を二〇〇人に送った。花嫁に付き添ってもらう未婚女性を選び、彼女の衣装一式——バレリーナ丈のドレス、それに似合う靴、袖の長さに合わせた手袋などを用意した。自分の花嫁衣装のほうは、ニコラスビル通りのファイアット・モールで揃えた。裳裾《もすそ》をたっぷり引いた、床までの長さのドレス。そしてこのドレスに合わせて靴と長手袋とを選んだ。

オリバーは黒のモーニングコート、縞《しま》ズボン、グレーのベスト、ウイングカラーの白シャツにストライプのアスコット・タイを注文した。花婿に付き添う男性役はオリバー事務所の弁護士が務める。

「準備は万端だ」

オリバーはレスリーに言った。

「式のあとの披露宴の手配もすべて済んだ。ほぼ全員が来てくれるよ」

レスリーは興奮のおののきにも似たものが、身体に走るのを感じた。

「待ち遠しいわ、ダーリン」


式の一週間前の木曜日に、オリバーがレスリーのアパートにやってきた。

「レスリー、どうも困ったことになった。ぼくのクライアントがトラブルに巻き込まれたんだ。事態を解決するために、パリへ飛ばなければならない」

「まあ、パリへ？　どのくらいかかるの？」

「二、三日で済むだろう。かかっても四日だ。じゅうぶん間に合うように帰るよ」

「パイロットに安全操縦を頼んでね」

「そうするよ」

オリバーが帰ったあと、レスリーはテーブルの新聞を取り上げて、なにげなくゾルテールの星占いのページに目をやった。そこにはこう書いてあった。

《獅子座（七月二三日〜八月二二日）きょうは計画変更にはよい日ではありません。危険を冒すと重大な問題が生じる恐れがあります》

レスリーはこの部分を読み返し、不安になった。オリバーに電話をして、出かけないでもらうように頼もうかと考えた。

〈でも、ばかげてるわ〉

と彼女は思った。

〈たかが、くだらない星占いじゃないの〉


月曜日になってもオリバーからは連絡がなかった。レスリーは彼の事務所に電話をしてみた。事務所にも何の報せもきていなかった。火曜日にも何も言ってこなかった。レスリーはパニックを起こしかけていた。水曜日の午前四時という時刻に電話がしつこく鳴り、彼女は目を覚ました。ベッドに起き直って、思った。

〈オリバーだわ！　よかった〉

電話をすぐにくれなかったことを、うんと怒ってやろうと思っていたのに、もうそんなことはどうでもよくなっていた。

受話器を取り上げた。

「オリバー……」

男の声が返ってきた。

「レスリー・スチュアートさん？」

急に寒気がした。

「だれ……どなたです？」

「ＡＰ通信のアル・タワーズです。スチュアートさん、わが社がキャッチした話に関して、あなたのご感想をうかがいたいと思いまして」

〈なにか恐ろしいことが起きたんだ。オリバーが死んだんだわ〉

「スチュアートさん？」

「はい」

レスリーの声はかすれて弱々しくなっていた。

「コメントをいただけますか？」

「コメントって？」

「オリバー・ラッセルが、パリでトッド・デービス上院議員の令嬢と結婚されたことについてです」

一瞬、部屋がぐるぐる回りだしたように感じた。

「あなたとラッセル氏とは、婚約しておられましたね？　お話しいただければ……」

彼女は凍りついたように座っていた。

「スチュアートさん」

「え？」

やっと声を取り戻した。

「はい、あの……お二人の幸せを祈っています」

感覚をなくしてしまった手で、受話器を置いた。悪夢だ、と思った。もう少ししたら目が覚めて、夢を見ていたってことがわかるわ。

夢ではなかった。彼女は見捨てられたのだ、またしても。昔の母の言葉がよみがえってくる。

〈あなたのお父さまは……戻らないのよ〉

バスルームに行き、鏡の中の蒼《あお》い顔を見つめた。

〈わが社がキャッチした話に関して〉

オリバーはほかの人と結婚した。

〈なぜ？　わたしのどこが悪かったの？　わたしが何をしくじったというの？〉

しかし、心の奥底ではオリバーが彼女を見捨てたのだとわかっていた。彼はいなくなった。彼はわたしを裏切ったのだ。いったいこれから、どうやって将来に立ち向かって行けばいいのか？

レスリーが出勤すると、社内の空気がよそよそしかった。だれもが彼女のほうを、極力見ないようにしている。彼女はジム・ベイリーの部屋に入っていった。

ジムは彼女の蒼い顔を見ると、こう言った。

「きょうは出社しないほうがいいよ、レスリー。家に帰って……」

彼女は深く息を吸った。

「いいえ。わたしは大丈夫」


ラジオもテレビも夕刊も、パリの結婚式の一部始終をことこまかに伝えていた。トッド・デービス上院議員はなんといってもケンタッキー州でいちばんの重要人物だった。だから、彼の娘が結婚したこと、その花婿がレスリーと婚約をしておきながらそれを破棄したことは、とてつもないビッグニュースだったのだ。

それらの報道から、レスリーも目や耳を塞《ふさ》ぐわけにはいかなかった。そして彼女は、オリバーが上院議員の娘と以前から付き合いがあったことを知った。

レスリーのオフィスの電話は鳴りっぱなしだった。

「スチュアートさん、こちらクーリエ・ジャーナルです。パリの結婚式についてご感想をいただけますか？」

「はい。わたくしにとって唯一、関心があるのはオリバー・ラッセルの幸せです」

「しかし、あなたと彼とは近く……」

「わたくしたちには、結婚は無理だったと思います。デービス議員のお嬢さんは、彼の人生においてわたくしよりも先に存在していました。彼はきっと忘れられなかったのでしょう。お二人の幸福を祈ります」

「こちらはフランクフォートのステート・ジャーナルですが……」

こんな具合だった。

見たところ、レキシントンの半分がレスリーに同情し、半分がこの出来事を楽しんでいるようだった。レスリーが行くところ、いかなる場所でもひそひそ話が起こり、あわてて会話が打ち切られた。彼女は絶対に感情を見せまいと、強く決心した。

「彼にこんな仕打ちをされて、あなたは平気なの？」

「人をほんとうに愛すると、その人の幸福を願うものよ」

レスリーは断固としてそう答えた。

「オリバー・ラッセルはわたしが会ったなかで、いちばんすばらしい人だわ。お二人には幸せになってもらいたいの」

結婚式に招いた人々にはお詫《わ》びの手紙を書き、頂いてあった贈り物は送り返した。

レスリーはオリバーから電話がくるのを、なかば期待し、なかば恐れていた。それなのに、電話がきたときはうろたえた。聞き慣れた彼の声を耳にして動揺した。

「レスリー……ぼくはなんと言ったらいいか」

「全部ほんとうのことなのね、そうなんでしょう？」

「ああ」

「じゃあ、何も言うことはなくてよ」

「ぼくはただ、どうしてこうなったかを、きみに説明したくて。きみに会う前、ジャンはぼくと婚約寸前だった。今度、彼女と再会して、ぼくは……ぼくはまだ、彼女を愛しているとわかった」

「わかりましたわ、オリバー。さようなら」

五分後、レスリーの秘書がブザーを鳴らし、こう伝えた。

「ミス・スチュアート、一番に電話が入ってます」

「話したくないわ」

「デービス上院議員からですよ」

〈花嫁の父親だわ。わたしになんの用があるの？〉

レスリーは受話器を取り上げた。

低音の利いた南部の声が言った。

「スチュアートさんかい？」

「はい」

「トッド・デービスです。あなたとわしとで、少し話をしたほうがよくないかな？」

「デービスさん、わたくしにはお話しすることは……」

「一時間後に、車できみを拾おう」

電話は切れた。


きっかり一時間後に、リムジンがレスリーのオフィスビルの前に横づけになった。運転手がドアを開けてくれた。デービス上院議員はうしろの座席にいた。豊かな白髪と、きちんと刈り込んだ小さめの口髭《くちひげ》とが、彼を威厳のある風貌《ふうぼう》にしていた。長老の顔立ちであった。秋なのに、服装は彼のトレードマークになっている白いスーツと、つば広の白い麦わら帽だ。典型的な前世紀の人物で、旧体制の南部の紳士だった。

レスリーが車に乗り込むと、デービス議員が言った。

「あんたは若くて美しい」

「どうも」

彼女は硬い口調で返事をした。

リムジンが動き出した。

「わしは肉体的なことだけを言ったんじゃないよ、ミス・スチュアート。あんたがこの浅ましい出来事をどういう態度でやり過ごしたか、わしは聞いて知っておる。あんたにとっちゃ、たいへん辛いことだったろう。あの報せを聞いたときには、わしも信じられなかったよ」

彼の声が怒気を含んできた。

「古き良き時代の道徳はどうなっちまったんだ。打ち明けていえば、オリバーがあんたにやらかした仕打ちには胸がむかついておる。そんな男と結婚したジャンにも腹が立っておる。ジャンはわしの娘だから、わしも多少、罪の意識を感じておるんだよ。まったくあいつらは、似たもの夫婦だ」

感情が高ぶって、声をつまらせた。

車内にしばらくのあいだ沈黙が流れた。レスリーがやっと口を開いた。

「わたくしはオリバーを知っています。彼はわたくしを傷つけるつもりではなかったんです。起きたことは……仕方ないですわ。それが彼にとっていちばんいい道であれば、それでいいんです。彼はそれに値する人物ですもの。彼の邪魔をする気は、わたくしにはありません」

「ありがたいお言葉だ」

上院議員はあらためてレスリーを見つめた。

「あなたは実にすぐれた女性だ」

リムジンが止まった。レスリーは窓から外を見渡した。着いたところはケンタッキー・ホース・センターのパリス・パイクと呼ばれる小高い丘だった。レキシントンの周辺にはサラブレッドの育成場が一〇〇以上あり、そのいちばん大きなものをデービス上院議員が所有していた。目の届く限り白いフェンスがつづき、赤く縁取りをした白いパドックが見え、ケンタッキー・ブルーグラスのなだらかな広がりがあった。

レスリーとデービス上院議員は車から出た。走路のターフを取り囲むフェンスまで歩いて行き、そこに立って美しい動物たちがトレーニングに励んでいる姿を眺めた。

上院議員はレスリーを見た。

「わしは単純な男だ」

彼はしみじみと言った。

「ああ、あんたが言葉通りには受け取るまいということはわかっておる。しかし本当なんだ。わしはここで生まれた。ここで生涯を過ごしてもいいと思っていた。世界のどこを探しても、こんないいところはないからな。自分の周りを見てごらん、ミス・スチュアート。ここは天国にもっとも近い場所だ。わしがここを去りたくないのは、当然だと思わんか？

マーク・トゥエインは言ったもんだ。世界が終わるときはケンタッキーにいたい、なぜならそこはたっぷり二〇年は遅れているから、とね。わしは半生をワシントンで過ごさなくちゃならんが、へどが出そうだよ」

「なぜ、そんないやなところへ？」

「なぜなら、わしには義務感があるからさ。ここの人たちは投票でわしを上院に送り込んだ。だからわしは投票で降ろされるまで、上院で最善を尽くすつもりだ」

彼は突然、話題を変えた。

「わしがあんたの心の持ちようと振る舞いに、深く感嘆していることを知ってもらいたい。あんたがこの件で、悪意を表に出していたらたいへんなスキャンダルになっていただろう。そうはならなかった……それで、わしは感謝の気持ちを表したいんだ」

レスリーは彼を見た。

「あんた、しばらくどこかへ身を隠していたいのじゃないかな。そのう、少し海外で旅行をして過ごすとか。もちろん、その場合の費用は……」

「どうか、そういうことはやめてください」

「わしはただ……」

「わかってます、デービスさん。わたくしはお嬢さんには会っていませんが、オリバーが愛するほどの人なら、きっと格別にすばらしいお方なんでしょう。ご夫妻のお幸せを祈ってます」

彼はばつが悪そうに言った。

「二人は、ここでまた結婚式を挙げるために戻ってくるんだよ。それを知っておいてもらいたいんだ。パリでは手続き上の式をしたんだが、ジャンがここの教会での結婚式を望んでいるもんでね」

胸に突き刺さる言葉だった。

「わかりました。大丈夫です。ご心配には及びませんわ」

「ありがとう」

結婚式は二週間後にカルバリー教会で行われた。レスリーとオリバーが式を挙げるはずだった教会だ。チャペルは満員だった。

オリバー・ラッセルとジャン、それにトッド・デービス上院議員は祭壇の牧師の前に立っていた。ジャン・デービスは黒い瞳と黒髪の魅力的な女性だった。堂々とした容姿で、貴族的な雰囲気を持ち合わせていた。

式は終わりの部分にさしかかっていた。牧師が言葉を続けていた。

「神は男と女が聖なる婚礼で結ばれるのを望まれる。あなたがたが共に人生を歩むときに……」

教会のドアが開いて、レスリー・スチュアートが入ってきた。彼女はしばらく後ろに立って聞いていたが、やがて座席の最後尾の列に移り、そのまま立ちつくしていた。

牧師の言葉がつづく。

「……そこでこの二人が、聖なる婚礼で結ばれてはならない理由を知っているものがあれば、いま口を開くように。そうでなければ永遠に……」

牧師はちらっと目を上げてレスリーを見た。

「……永遠に沈黙するように」

思わず知らず、人々は振り向いてレスリーのほうを見た。ささやきが席から席へと広がり始めた。みんな、いまにも目の前で劇的な場面が起こるかもしれないと感じ、教会の中は突然の緊迫感で爆発しそうになった。

牧師は一瞬、間を置いた。それからわざとらしく咳払いをした。

「では、わたしに授けられた力により、ここに二人が夫と妻であることを宣言する」

牧師の声には、ほっとした思いが溢《あふ》れていた。

「花嫁にキスしなさい」

牧師がつぎに目を上げたとき、レスリーの姿はそこにはなかった。


レスリーの日記の最後に記されたのは、つぎのような言葉だった。

《わたしの日記よ　美しい結婚式でした。オリバーの花嫁は、とてもきれいだった。彼女の衣装は白の可愛いレースとサテン地のウェディングドレス。ホルダー・トップになっていて、上にボレロをはおるデザインなの。オリバーはこれまでにないほどハンサムに見えました。彼、幸せそうでしたよ。わたしも楽しいわ。

《なぜって？　いずれわたしが彼との決着をつける日がきたとき、あいつが、生まれてこなければよかったと思うような目に、遭《あ》わせてやるつもりだもの》

第二章

オリバー・ラッセルとジャンが和解するように企んだのは、トッド・デービス上院議員だった。トッド・デービスはやもめの身だった。億万長者の上院議員で、タバコ農園、炭鉱のほか、オクラホマとアラスカに油田を、そして国際級の競走馬を持つ厩舎《きゅうしゃ》を所有していた。上院多数党の院内総務として、ワシントンでもっとも力のある人物に数えられており、現在、五期目を務めていた。

彼の人生哲学はしごく単純なものだった。いわく、「恩義を忘れるな、侮辱を許すな」。競馬場でも、政治の場でも、勝者を見分けられることが誇りだった。彼は早くから、オリバー・ラッセルを有望株として目をつけていた。オリバーが娘と結婚しそうになったことは、計算外のボーナスのようなものだった。もっとも、ジャンはその後、愚かにも結婚を取りやめてしまったが。

ただ、オリバー・ラッセルがレスリー・スチュアートとすぐにも結婚するというニュースは、上院議員にとって困ることだった。非常に困ることだった。

デービス上院議員が初めてオリバー・ラッセルに会ったのは、オリバーが彼のために法律問題を処理してくれたときだった。デービス議員は感銘を受けた。オリバーは聡明《そうめい》で、ハンサムで、話し方は歯切れがよかった。少年のようなみずみずしい魅力は人々を惹《ひ》きつけてやまなかった。上院議員はオリバーと定期的に昼食をとるようにした。オリバーは自分がどんなに念入りに値踏みされているのか、少しも気づかなかった。


オリバーに出会ってから一カ月後、デービス議員はピーター・テイガーを呼び寄せて言った。

「どうやらわれわれは、つぎの知事を見つけたようだ」

テイガーは信仰篤い家庭に育ったまじめな男だった。父は歴史の教師、母は専業主婦で、両親ともに熱心に教会にかよっていた。ピーター・テイガーが一一歳のときだった。両親と弟といっしょに車で旅行中、車のブレーキがきかなくなった。大事故となった。生き残ったのはただひとり、ピーターだった。しかし、片方の目を失っていた。

ピーターは思った。神が彼をお召しにならなかったのは、神のことばを広めさせるためにちがいない、と。

ピーター・テイガーは、デービス議員がこれまでに会っただれよりも、政治の力学を理解していた。テイガーは、どこに票があって、どのようにすれば手に入れられるかをよく知っていた。大衆がなにを聞きたがっているか、なにを聞き飽きているかを、うす気味わるいほどに察知できた。

だが、デービス議員にとってなによりも重要だったのは、ピーター・テイガーが、信頼できる、誠実な男だということだった。人々は彼に好感を抱いていた。片方の目につけている黒いアイパッチのせいで、彼はさっそうとして見えた。テイガーにとって、世界中のなによりも大事なのは家族だった。これほど自分の妻と子供たちを誇りにしている男が、ほかにいるだろうか、と上院議員は思った。

デービス上院議員が初めて会ったころ、ピーター・テイガーは牧師になろうと考えていた。

「たくさんの人が救いを求めているんです、上院議員。わたしは自分にできることをやりたいと思っています」

デービス上院議員は、彼を説得して進路を考え直させた。

「考えてもみたまえ。アメリカ合衆国の上院で、わしのために働くほうが、もっと多くの人を救うことができるじゃないか」

結果として、これは上々の人選だった。テイガーは物事をやり遂げるにはどうすればよいか、その方法を心得ていた。

「わしが知事に立候補させたいと考えているのは、オリバー・ラッセルだ」

「弁護士の？」

「そうだ。彼はうってつけの男だ。わしの勘では、もしわれわれが後押しすれば当選まちがいない」

「おもしろそうですね」

二人はそれについて打ち合わせを始めた。


デービス上院議員はオリバー・ラッセルのことをジャンに話した。

「おまえ、あの男の将来は相当なものだよ」

「彼の過去だって相当なものよ、お父さま。彼は町いちばんのオオカミなんだもの」

「なあ、おまえ、噂に耳を貸してはいかんよ。金曜日に、わが家のディナーにオリバーを招待したからな」


金曜日の夜のディナーはうまくいった。オリバーは魅力を振りまき、ジャンは彼に対して、知らぬ間に好意を寄せていることに気づいた。上院議員は自分の席から二人を見守っていた。そしてオリバーの長所を引き出すような質問を浴びせたりした。

別れ際に、ジャンはつぎの土曜日のディナーパーティにオリバーを誘った。

「よろこんで伺います」

とオリバーは答えた。

その土曜日の夜以来、ジャンとオリバーは二人だけで会うようになった。


「二人はまもなく結婚するよ」

上院議員はピーター・テイガーに予言した。

「さあ、そろそろオリバーの選挙キャンペーンを始めなくっちゃな」


オリバーはデービス上院議員の事務所に呼ばれた。

「きみにひとつ訊《き》いておきたい」

議員が言った。

「きみは、ケンタッキー州知事になりたくはないかね？」

オリバーは驚いて議員を見つめた。

「ぼくは……そんなこと、考えてもいませんでした」

「そうか。わしとピーター・テイガーとは考えてたよ。選挙は来年だ。きみを州知事候補に仕立てる時間は充分にある。きみが何者であるかを、人々に知らせるんだ。われわれが支援すれば負けることはない」

まもなくオリバーは、その言葉が本当であることがわかった。デービス上院議員の力は強大だった。彼は自分の抱えた政治マシンに潤滑油を効かせると、それを自在に操った。そのマシンを使えば、神話だって生み出すことができた。邪魔な人物を破滅させることだってできた。

「きみは、これにすべてを打ち込んでもらわないと困る」

上院議員はオリバーに警告した。

「そうします」

「もっといいことも耳に入れておこうか。まだわしだけの考えなんだがね、この選挙は大目標に向かうための第一段階にすぎない。きみが知事として一期か二期つとめたあと、われわれはきみをホワイトハウスに送り込むことを約束するよ」

オリバーは息を飲んだ。

「それは……ほんとうですか？」

「こういう話は冗談では言わないぞ。いうまでもないことだが、いまはテレビジョンの時代だ。きみには金で買えない何かがある……カリスマ的資質だな。人々はきみに惹きつけられる。きみは本質的に人間が好きなんだな。そのことがおのずと滲《にじ》み出ている。ジョン・F・ケネディが持っていたのと同じ資質だ」

「ぼくは……なんと言ってよいか、トッド」

「なにも言う必要はないよ。わしは明日、ワシントンに戻らなきゃならんが、今度こっちに帰ってきたら、動き始めよう」


数週間後、知事の椅子《いす》をめざしてキャンペーンが始まった。

オリバーの写真を掲げた広告の看板が州内にどっと出回った。オリバーはテレビに、各種集会に、政治セミナーに姿を現した。ピーター・テイガーは独自の得票予想調査のシステムを持っていたが、それによるとオリバーの人気は週ごとに上昇していた。

「また五ポイント上がりました」

テイガーは上院議員に報告した。

「現職知事に後《おく》れをとることわずか一〇ポイントです。まだ十分に時間はありますから、もう数週間もすれば二人は肩を並べますよ」

デービス上院議員はうなずいた。

「オリバーは勝つよ。それはまちがいないさ」

トッド・デービスとジャンは朝食をとっていた。

「おまえの恋人からは、まだプロポーズはないのかね？」

ジャンはにっこりした。

「まだはっきりとは申し込まれていないわ。でも、彼はそれとなく匂わせているの」

「そうか。あんまり長すぎる春ってのもよくないな。おまえには、彼が知事になる前に結婚してもらいたい。知事という仕事は、妻がいるほうが役割を果たせるからね」

ジャンは父親に抱きついた。

「わたしの人生に彼が入ってきたのは、パパのおかげよ。うれしいわ。わたし、もう彼に夢中なの」

上院議員は顔を輝かせた。

「彼がおまえを幸せにするかぎり、わしも幸せだよ」

すべては申し分なく進んでいた。

異変が起きたのはつぎの日だった。夜になってデービス上院議員が帰宅すると、ジャンが自室で荷造りをしていた。その顔は涙でくしゃくしゃだった。

彼は心配そうに娘を見た。

「なにをしているんだね、おまえ」

「ここを出て行かせて。生きているかぎり、二度とオリバーには会いたくないから！」

「まあまあ、落ち着いて。いったい、なんのことを言ってるんだね？」

彼女は父親に向き直った。

「オリバーのことよ」

悲痛な声だった。

「彼はゆうべ、モーテルでわたしの親友と過ごしたの。彼女からさっそく電話があって、彼がいかにすばらしい恋人だったか話してくれたわ」

上院議員はショックを受けて突っ立っていた。

「もしかしたら、その娘さんは、単に……」

「いいえ、わたしはオリバーに電話したの。彼は……否定できなかったわ。わたしは発ちます。パリに行くわ。あそこに友人がいるから」

「おまえ、自分がしていることが、わかって……」

「わかっています、はっきり」

そして翌朝、ジャンは行ってしまった。

上院議員はオリバーを呼んだ。

「きみには失望したよ」

議員の顔には心労が刻み込まれていた。

オリバーは深いため息をついた。

「起こったことは、お詫《わ》びします。あれは……あれは、ただ、よくある話なんです。二、三杯飲んだところにあの女がやってきて、ぼくに誘いをかけてきた……それで、ノーとは言えなかった」

「わかるよ」

上院議員は同情するように言った。

「なんといっても、きみは男だ。そうだろう？」

オリバーはほっとして顔がほころんだ。

「そうなんです、トッド。もう、こんなことは二度と繰り返しません。誓って……」

「しかし残念だったな。きみはいい知事になれるところだったのに」

オリバーの顔からすーっと血の気が引いた。

「なんと……なんとおっしゃいました、トッド？」

「なあ、オリバー、いまとなっては、わしがきみを支援したらおかしなものに見える。そうじゃないか？　つまり、ジャンの気持ちを考えたら、だ……」

「知事の地位とジャンとのあいだに、どんな関係があるんです？」

「わしはこれまで、みんなに吹聴《ふいちょう》してきたんだ。つぎの知事にはわしの婿どのがなりそうだ、とな。だが、きみがわしの婿になりそうにない以上、わしは計画を改める必要がある。そうじゃないか？」

「どうか冷静に、トッド。あなたにはそれはできませ……」

「できるとかできないとか、わしに指図はするな」

デービス上院議員の顔から笑みが消えていた。

「オリバー、わしはおまえを創ることも、壊すこともできるんだ！」

彼はまた笑顔に戻った。

「しかし、わしを誤解せんでくれ。悪気はないんだからね。きみによかれ、と祈っているよ」

オリバーはしばらく黙ってそこに座っていた。

「わかりました」

彼は立ち上がった。

「ぼくは……これについては、残念に思ってます」

「わしもだよ、オリバー。わしもだ」

オリバーが立ち去ると、上院議員はピーター・テイガーを呼び入れた。

「このキャンペーンは降りるぞ」

「降りる？　なぜです？　もう成功は確実ですよ。最近の得票予測では……」

「言うとおりにするんだ。オリバーの出演はすべてキャンセルしろ。われわれにとって、彼はレースを前にあらぬ方向へ勝手に放馬してしまった競走馬だ」


二週間後、オリバー・ラッセルの予想得票率は下がりはじめた。広告は姿を消し、ラジオ、テレビでの宣伝はキャンセルされた。

「アディソン知事が得票率を上げはじめましたよ。新しい候補者を見つけるおつもりなら、急がないと」

ピーター・テイガーが言った。

上院議員は思案にあぐねている表情で、こう答えた。

「まだ時間はある。このままにしておこう」


その数日後、オリバー・ラッセルはベイリー＆トムキンズ社へ出かけ、自分のキャンペーンを依頼した。ジム・ベイリーは彼をレスリーに紹介した。オリバーはすぐに彼女に好意を抱いた。彼女は美しいばかりでなく、聡明で思いやりに富み、しかも彼を心から信頼していた。上院議員の娘であるジャンには、なんとなくお高くとまっている態度が感じられることがあった。彼はそれを大目に見てきたものだった。だが、レスリーはまったく違った。彼女はあたたかく、感情がこまやかだった。当然のなりゆきとして彼女と恋におちたのだった。

ときどきオリバーは、失ったものを考えてみることがあった。

〈この選挙は大目標に向かうための第一段階にすぎない。きみが知事として一期か二期つとめたあと、われわれはきみをホワイトハウスに送り込むことを約束するよ〉

とてつもない大きな将来を失ったのだろうか？

〈くそくらえ。そんなものがなくても、ぼくは幸せになれる〉

オリバーは自分に言い含めた。が、正直いって、ときには自分が成し遂げられたかもしれない数々の業績に思いを馳《は》せて、心を乱した。

オリバーとレスリーの結婚式が目前に迫っていた。デービス上院議員はテイガーを呼んだ。

「ピーター、考えてくれ。われわれは、オリバー・ラッセルをどこの馬の骨ともわからぬ女と結婚させて、彼の将来をだめにするわけにはいかんのじゃないか」

ピーター・テイガーは眉《まゆ》をしかめた。

「いまとなっては、どうしようもありませんよ。結婚式は決まったんです」

デービス上院議員は、ちょっとのあいだ考えた。

「レースはまだ始まっていない。馬はまだゲートから出ていない。そうだろ？」

何かを考えついたようであった。

彼はパリにいる娘に電話をした。

「ジャン、ひどいニュースがあるんだ。オリバーが結婚するぞ」

長い沈黙があった。

「そう」

「嘆かわしいことに、彼は相手の女を愛していないのさ。おまえが離れていったその反動で、今度の女と結婚することになったんだと、わしに話してくれたよ。彼はまだ、おまえを愛してるんだ」

「オリバーがそう言ったの？」

「言ったとも。彼がしようとしていることは、ひどいことだ。そして、いいかい、おまえが彼にそうさせたんだよ。おまえが彼を見捨ててからというもの、彼はめちゃくちゃになってしまった。それはもう、見ていられなかった」

「お父さま、わたし……そんなこととは知らなかった」

「あんな不幸な男は、見たことがないよ」

「なんて言ったらいいのか、わからないわ……」

「おまえは、まだ彼を愛しているのか？」

「永遠に愛してるわ。わたし、たいへんな間違いをおかしたみたい」

「そうか、そういうことなら、まだ遅くないかもしれない」

「でも、彼は結婚するんでしょう？」

「可愛いジャン、まあちょっと待って、どうなるか見ていてごらん。彼が迷いから覚めることもあるしね」

上院議員が電話を切ると、ピーター・テイガーが言った。

「議員、何を企んでいらっしゃるんです？」

「わしが？」

デービス上院議員はとぼけた顔をして言った。

「なんにも。ただ、二、三の駒《こま》をもとのところに戻しているだけさ。うん、ちょっとオリバーと話をしようかな」

その日の午後、オリバー・ラッセルはデービス上院議員の事務所にいた。

「会えてうれしいよ、オリバー。来てくれてありがとう。きみは元気そうだね」

「ありがとう、トッド。あなたもお元気そうで」

「いや、もう齢《とし》だよ。でも、できるだけのことはしているがね」

「ぼくに、なにか用が？」

「そうなんだ、オリバー。まあ、座ってくれ」

オリバーは腰をおろした。

「わしが抱えている厄介な法律問題を助けてもらいたいんだ。パリにあるわしの会社の一つにトラブルがあってね。近々、株主の会議があるんだが、きみに出てもらいたい」

「よろこんで。会議はいつです？ ちょっとぼくの日程を調べてみますが……」

「悪いが、きょうの午後、発ってほしいんだ」

オリバーは目をみはった。

「きょうの午後？」

「たいそう急な話で申しわけない。だが、わしもいま聞いたばかりなんだよ。わしの飛行機が空港で待っている。やってくれるかい？ わしにとっては重要なことなんだ」

オリバーは少し考え込んでいたが、やがて顔をあげた。

「なんとかやってみましょう」

「感謝するよ、オリバー。きみはあてにできる男だと思っていた」

それからデービス上院議員は、身を乗り出して続けた。

「あれからのきみについては、たいへん心を痛めている。最近の得票予想を見たかね？ 残念だが、きみの人気はどんどん落ちている」

最後のところで、議員はため息をついた。

「わかってます」

「わしはべつにかまわないが、しかし……」

彼はいったん言葉を切って、オリバーを見やった。

「しかし？」

「しかし、きみは立派な知事になれただろうに」

上院議員は残念そうに言った。

「実際、きみの将来は輝けるものになっていたはずなんだ。金も権力も手に入れてな。オリバー、金と権力について、少し言わせてもらおう。金はだれが持ってもかまわない。浮浪者が宝くじで大金を得ることもあるし、頭の悪いやつが相続で金をもらうこともある。あるいは、銀行を襲って金をとるやつもいる」

デービス議員は、オリバーが耳を傾けているのを見て、しだいに話に熱を入れ始めた。

「ただし、権力は別だ。権力を持つことは世界を制することだ。もしきみがこの州の知事なら、きみはここに住むすべての人の生活を左右できる。人々のためになる法案を可決させ、人々のためにならない法案には権力で拒否権を発動できる。かつてわしは、将来きみをアメリカの大統領にすると約束したね。そうさ、そのつもりだった。きみがなりたいと思えばそうしてやれた。その場合の権力について想像してみたまえ、オリバー。きみは世界でいちばん重要な男となり、世界でいちばん強大な国を動かすんだよ。それこそ夢見る価値のあることじゃないか？　考えてみたまえ」

オリバーは、いったいこの話はどこにつながるのだろうと考えていた。上院議員の言いたいことはほかにあるような気がした。

はたせるかな、デービス上院議員は言った。まるでオリバーの胸の内の疑問に答えるかのように。

「それなのに、きみはすべてを放り出してしまった。一人の女に入れあげてしまったせいでね。きみはもっと利口な男だと思っていたよ」

オリバーは続きを待っていた。

すると、デービス議員は、ひょいと言った。

「けさ、ジャンと話したよ。パリにいるんだ。ホテル・リッツにね。きみが結婚すると話したら……いやあ、急に取り乱しちゃってね、泣き出したんだよ」

「どうも……すみません、トッド。ほんとうに」

上院議員はため息をついた。

「きみら二人が、もう一度いっしょになれないなんて、実に残念なことだ」

「トッド、ぼくは来週結婚するんですよ」

「わかっておる。それを邪魔する気は毛頭ない。わしはただのおセンチな年寄りなのさ。でも、わしの考えでは結婚とはこの世でいちばん神聖なものだ。わしからの祝福を、オリバー……」

「ありがたく思います」

「そうだろうよ」

上院議員は腕時計に目をやった。

「さて、きみは家に戻って支度をしたいだろう。依頼した問題の背景と会議の項目については、パリのほうへファクスを入れておく」

オリバーは立ち上がった。

「わかりました。ご心配なく。ぼくがあちらで処理してきますから」

「頼んだよ。ところで、きみの宿泊先には、ホテル・リッツを予約しておいたよ」

五分後、上院議員はパリのジャンと話していた。

「オリバーがそっちに向かったよ」

オリバーはデービス上院議員の豪奢《ごうしゃ》な自家用機、チャレンジャー号でパリに向かっていた。機内で彼は、上院議員との会話を思い出していた。

〈きみは立派な知事になれただろうに。オリバー。実際、きみの将来は輝けるものになっていたはずなんだ。権力について言わせてもらおう、オリバー。権力を持つことは世界を制することだ。もしきみがこの州の知事なら、きみはここに住むすべての人の生活を左右できる。人々のためになる法案を可決させ、人々のためにならない法案には権力で拒否権を発動できる〉

たしかに。そして付け加えるならば、ぼくは人々の役に立っていただろう。

〈でも、そんなことは忘れよう〉

オリバーは自分に言い聞かせた。

〈そうだ、ぼくはすばらしい女性と結婚するんだ。二人で幸せになろう。うんと幸せに〉


パリのル・ブールジェ空港のトランスエアー・エグゼクティブ・ジェットターミナルに到着すると、一台のリムジンがオリバーを待っていた。

「どちらへまいりましょう、ミスター・ラッセル」

運転手が訊ねた。

〈ところで、きみの宿泊先には、ホテル・リッツを予約しておいたよ〉

ジャンもリッツにいると言っていた。

オリバーは思案した。

〈別のホテルに泊まるほうが賢明ではないだろうか。プラザ・アテネとか、ムリスとかに……〉

運転手は彼の返事を待っていた。

「リッツへ」

オリバーはそう口にしていた。とにかく、ジャンに謝らなければ。

ホテルのロビーから彼女に電話をした。

「オリバーです。パリに来たもんで」

「知ってるわ」

とジャンが言った。

「パパと話したの……」

「実は下にいるんだが、ご挨拶《あいさつ》をと思って……」

「上がってきて」

ジャンのスウィートルームに入るとき、オリバーはまだ、なんと言うべきか迷っていた。

ジャンはドアのところで彼を待っていた。彼女はほほ笑みを浮かべて立っていたが、つぎの瞬間、彼に腕を投げかけ、引き寄せた。

「パパがあなたが来るって教えてくれたの。とってもうれしいわ！」

オリバーは、どうしていいかわからなかった。

レスリーとのことを話さなくては。でも、どんな言葉を選べばよいのか……。

〈ぼくたちに起こったことは残念だった……きみを傷つける気はなかったんだ……ぼくはある女性と恋におちて……でも、きみとの友情はこれからも……〉

「あの……話すことがあるんだ」

ぎこちなく口を開いた。

「じつをいうと……」

ジャンを目の前に見ていると、彼女の父親の言葉が思い出された。

〈かつてわしは、将来きみをアメリカの大統領にすると約束したね。そうさ、そのつもりだった。その場合の権力について想像してみたまえ、オリバー。きみは世界でいちばん重要な男となり、世界でいちばん強大な国を動かすんだよ。それこそ夢見る価値のあることじゃないか？〉

「なに？　あなた」

ジャンが期待にみちた目でオリバーを見ている。

そのとたん、オリバーの口から、言葉があたかも生きもののごとく、ひとりでに飛び出してきた。

「ぼくはひどい間違いを犯したね、ジャン。まったく、ばかだった。ぼくはきみを愛している。きみと結婚したいと思っているんだ」

「オリバー！」

「結婚してくれるかい？」

ジャンは躊躇《ちゅうちょ》なく答えた。

「ええ、もちろんよ、あなた！」

彼は彼女を抱き上げ、ベッドルームへ運んだ。まもなく二人は生まれたままの姿でベッドのなかにいた。ジャンが言った。

「ダーリン、知らないでしょうね、あなたをどんなに恋しく思っていたか」

「ぼくはどうかしてたんだ……」

ジャンはオリバーの裸の肉体に、自分の肌をぴたりと押しつけて、感極まった声をあげた。

「ああ！　とてもいい気持ち」

「ぼくたちは互いにぴったりだからさ」

オリバーが急に身を起こした。

「お父さんにこのことを知らせよう」

彼女は驚いて、彼を見た。

「いま？」

「そうさ」

〈それに、ぼくはレスリーに話さなくては〉


一五分後、ジャンは父親に報告していた。

「オリバーと結婚するわ」

「それはすばらしいニュースだ、ジャン。これ以上の喜びと驚きはないよ。ところで、パリ市長はわしの古い友人だ。彼はおまえの電話を待っている。そちらで結婚式を挙げてくれるよ。わしがすべてを手配するから」

「でも……」

「オリバーを出してくれ」

「待ってて、パパ」

ジャンは受話器をオリバーに差し出した。

「パパが話したいって」

オリバーが電話を代わった。

「トッド？」

「やあ、息子よ、きみはわしをとても幸せにしてくれた。きみは正しいことをしたんだ」

「ありがとうございます。ぼくも同じ気持ちです」

「きみとジャンが、パリで結婚するように手配した。こちらへ戻ったら、ここの教会で盛大な式を挙げる。カルバリー教会でね」

オリバーは眉をひそめた。

「カルバリー教会ですって？　それは……ぼくにはいい考えだとは思えませんが、トッド。あそこはレスリーとぼくが……どうか、どこか別の……」

デービス上院議員の声は冷たかった。

「きみはわしの娘に気まずい思いをさせたんだよ、オリバー。その償いをしたいんじゃないかと思ってね。そうだろう？」

しばし、沈黙の時が流れた。

「はい、トッド。もちろんです」

「うれしいよ、オリバー。二、三日うちに会えるのを楽しみにしているよ。話し合わなきゃならないことがたくさんあるからね……知事さん……」


パリでの結婚式は、市長のオフィスでとり行われた。書類手続きのための短い式である。それが終わると、ジャンはオリバーを見上げて言った。

「パパはレキシントンでの結婚式を、カルバリー教会でやってくれるのよ」

オリバーはレスリーのことを思った。彼女はどう受け取るだろう。それを考えると気が進まない。しかし、彼はもう、戻るに戻れないところにまで来てしまっていた。

「お父さんがそうしたいのなら」

そう答えていた。


オリバーはレスリーのことを、胸の内から拭《ぬぐ》い去ることができなかった。彼女は、このような仕打ちを受けるに足るようなことは、何ひとつしでかしていなかった。

〈電話して、説明しよう〉

だが、電話を取り上げるたびに思うのだった。

〈どうやって説明すればいいんだ？　なにを言えばいいというんだ？〉

その答えは、彼にはなかった。

ついに勇気を奮い起こして電話をかけたとき、すでに彼女は新聞で知らされていた。その後の彼は、気分がいっそう落ち込んだ。


オリバーとジャンがレキシントンに戻った日から、オリバーの選挙キャンペーンはピッチを上げた。ピーター・テイガーがすべての歯車を始動させたために、オリバーはふたたびテレビ、ラジオ、新聞など、いたるところに顔を出すようになった。ケンタッキー・キングダム・スリル・パークの大群衆に語りかけ、ジョージタウンのトヨタ自動車工場で集会を主催した。ランカスターの二〇〇〇平方メートルもあるショッピングセンターでスピーチを行った。これらはほんの手始めにすぎなかった。

ピーター・テイガーはキャンペーン・バスを仕立てて、オリバーに州内をまわらせた。バスはジヨージタウンからスタンフォードへ向かい、フランクフォート、ベルサイユ、ウインチェスター、ルイスビルの各都市に停まった。オリバーはケンタッキー・フェアグラウンドで、そしてエクスポ・センターで演説をした。人々はオリバーを歓迎して、グールーと呼ばれるケンタッキーの伝統的なシチューを作ってご馳走してくれた。このシチューは、大鍋にチキン、仔牛肉、ビーフ、ラム、ポーク、さらには新鮮な野菜を入れて、焚《た》き火で調理されたものだった。

オリバーの得票率は上がり続けた。キャンペーンを休んだのは、オリバーの結婚式のときだけだった。式のとき、彼は教会の後ろにレスリーが来ているのを見て、不安な気持ちになった。そのことをピーター・テイガーに話した。

「レスリーがぼくを傷つけるために、なにかしでかすと思うかね?」

「もちろん、答えはノーですよ。たとえ彼女がそうしたいと考えたとしても、何ができるというんです。忘れることですな」

テイガーは正しかった。事態は順調に進んでいた。心配するようなことはなにもなかった。もはや彼を止めるものはなにもなかった。何ひとつ。

選挙の日の夜、レスリー・スチュアートはアパートのテレビの前にひとりで座り、開票速報を見ていた。

選挙区の開票が進むにしたがって、オリバーはぐんぐんリードを広げていった。深夜の零時五分前、とうとうアディソン知事がテレビに現れ、敗北宣言を行った。レスリーはテレビを消した。彼女は立ち上がり、深く息を吸い込んだ。

もう泣かないで、マイ・レディ
おお、今日はもう泣かないで！
歌を歌おう
オールド・ケンタッキー・ホームのために
はるかなるオールド・ケンタッキー・ホームのために

いま、その時がきた。

第三章

トッド・デービス上院議員は忙しい朝を迎えていた。ワシントンから日帰りでルイスビルに飛んできて、サラブレッドのせり市に参加したのだ。

「血統を維持することが大事なんだよ」

彼はピーター・テイガーに教えた。

二人はスタンドの椅子に陣取り、見事な馬体の駿馬《しゅんめ》たちが、広いアリーナを曳《ひ》かれながら行ったり来たりするのを眺めていた。

「重要なのはそこなんだ、ピーター」

美しい牝馬《ひんば》がリングの中央に引き出された。

「あれがセールアウェイだ」

デービス上院議員が言った。

「あれが欲しい」

せりが活発に行われ、値はどんどん引き上げられていった。しかし、一〇分たって終わってみると、セールアウェイはデービス上院議員がせり落としていた。

携帯電話が鳴った。ピーター・テイガーが出た。

「はい」

彼は相手の話をちょっと聞いてから、上院議員のほうを向いた。

「レスリー・スチュアートとお話になりますか?」

デービス上院議員は渋面をつくった。少しためらった後、テイガーから電話をとった。

「ミス・スチュアート?」

「デービス上院議員、お邪魔をしてすみませんが、お目にかかれないでしょうか。お願いしたいことがあるんです」

「さてと。わしは今夜ワシントンに飛行機で戻るから、ちょっとねえ……」

「わたくし、いまそちらに伺ってもかまいませんかしら。とても重要なことなので」

デービス上院議員はちょっと口ごもった。

「そう、お嬢さん。それほど重要なことなら、喜んであなたの言うとおりにしてあげよう。わしはまもなくここを出て、うちの牧場に向かう。そこで会うかね?」

「それでけっこうです」

「じゃあ、一時間後に」

「ありがとうございます」

デービスは電話の終了ボタンを押すと、テイガーを見た。

「あの女を見損なったよ。もっと利口かと思ってた。わしに金を要求するのなら、ジャンとオリバーが結婚するまえにしなくちゃな」

それからしばらく考えていたデービスは、やがてにやりと口許《くちもと》を崩した。

「そうか、そういうことか」

「なんです？　議員」

「彼女がいまごろせっつくのはなぜか。それがわかったんだよ。ミス・スチュアートはこう言うだろう。オリバーの子どもを身ごもっているのがわかりました、それで、ちょっとした金銭援助が必要になりまして、とな。世界中にいちばん古くからある、金儲《かねもう》けの手口だ」


一時間後、レスリーは上院議員の牧場、ダッチヒルの敷地に車を乗り入れた。

母屋の外で守衛が待っていた。

「スチュアートさんですね？」

「ええ」

「デービス上院議員がお待ちです。こちらへどうぞ」

守衛の案内でレスリーは中に入った。広い廊下を通って、導かれたところは書斎だった。鏡板張りの広い部屋で、書籍がぎっしり詰まっている。デービス上院議員は机に向かって本をめくっていた。レスリーが入って行くと、彼は顔を上げ、立ち上がった。

「会えてうれしいよ。さあ、お座りなさい」

レスリーは腰をおろした。

上院議員は本をかかげてみせた。

「これがおもしろくてね。ケンタッキー・ダービーの優勝馬の名前が、第一回ダービーから最新のにいたるまで載っているんだ。第一回ケンタッキー・ダービーの優勝馬を知ってるかね？」

「いいえ」

「アリスタイディーズだよ。一八七五年だ。しかしあんたは、馬の話をしに来たんではなかったな」

彼は本を置いた。

「わしに頼みがあると言っておったが？」

彼はレスリーがどのように切り出すか、考えていた。

〈わたし、オリバーの赤ちゃんができているのに気がついたんです。でも、どうしていいかわからなくて……スキャンダルを起こしたくありませんし……子どもを育てる気はあるんですが、お金が

ないので……〉

レスリーが実際に切り出した言葉は、こうだった。

「ヘンリー・チェンバーズさんをご存じですか？」

不意を衝かれて、デービス上院議員は目をぱちくりした。

「わしが……ヘンリーを？　ああ、知っているよ。なぜ？」

「その方を紹介していただけると、たいへんありがたいのですが」

デービス上院議員は彼女を見つめ、急いで自分の考えをしまい込んだ。

「お願いというのは、そのことかね？　あんたはヘンリー・チェンバーズに会いたいのか？」

「ええ」

「残念だが、彼はもうここにはいないんだよ、ミス・スチュアート。彼はアリゾナのフェニックスに住んでいる」

「存じてます。わたくし、明朝フェニックスに発つんです。あの土地のだれかを知っていたほうが好都合だと思ったものですから」

デービス上院議員はちょっとのあいだ彼女を観察しながら考えた。

〈この女はうそをついている〉

わしにはわからない何かが進行中だと、ベテラン議員の本能が告げていた。

彼はさりげなくつぎの質問をした。

「ヘンリー・チェンバーズについてなにか知っているのかね？」

「いいえ。ただ彼がケンタッキー出身だということだけです」

彼は座って思案していた。

〈彼女は美しい女だ〉

彼は思いついた。

〈わしはヘンリーに恩を売れる〉

「電話をしよう」

五分後、彼はヘンリー・チェンバーズと話し合っていた。

「ヘンリーか。トッドだ。がっかりするだろうが、わしはけさ、セールアウェイを買ったよ。おまえさんが目をつけていたのは知っている」

しばらく相手の話を聞いていたが、やがて笑い声をたてた。

「きっとそうだろうね。おまえさん、また離婚したって聞いたぞ。残念だったな、わしはジェシカは好きだったのに」

レスリーはしばらく、そんなやりとりを聞いていた。

やがてデービス上院議員が言った。

「ヘンリー、おまえさんに親切をほどこしてやろう。わしの友人が明日、フェニックスに行く。彼女はそちらにだれひとり知り合いがいないんだ。面倒を見てもらえればありがたい……彼女はどんな人だって？」

彼はレスリーを眺めまわして、にんまりした。

「べっぴんさんだよ。おい、変な考えは起こすな」

彼は相手がなにか言うのをちょっと聞いてから、レスリーに向かって訊ねた。

「飛行機は何時に着くのかね？」

「二時五〇分。デルタ航空一五九便です」

上院議員はそれを電話に向かって繰り返した。

「名前はレスリー・スチュアートだ。おまえさんはわしに感謝することになるよ。じゃあ、元気でな、ヘンリー。また電話する」

彼は受話器を置いた。

「ありがとうございます」

レスリーが言った。

「ほかに、わしにできることはあるかね？」

「いいえ、それだけですわ」

デービスの目が訝《いぶか》しげだった。

〈なぜだ？　いったい、レスリー・スチュアートはヘンリー・チェンバーズになんの用があるんだ？〉

オリバー・ラッセルとの関係が破局を迎え、それが世間に知れわたったことは、レスリーが思った以上に、いや、思っていた百倍もひどい事態を招いた。それはいつ終わるともしれない悪夢だった。レスリーが行くところ、どこでもひそひそ声が起こっていた。

「あの人よ。いうなれば、彼は祭壇の前まで進んでおきながら、彼女を捨てたのよ……」

「わたしのところにきた結婚式の招待状は、記念にとっておくわ……」

「彼女、せっかく作ったウェディングドレスはどうするんでしょうねえ……」

世間のうわさはレスリーの痛みをさらにかきたてた。その屈辱は耐えられないほどだった。もう二度と男は信用しない。けっしてするものか。いつかオリバー・ラッセルに、なんとかして、この許せない仕打ちの償いをさせてやる……、そう考えることが、彼女の唯一の心の慰めだった。それをどういうふうにやるかは、まだわからなかった。オリバーのバックにはデービス上院議員がついているのだから、彼は金と力を持つだろう。

〈それなら、わたしはそれ以上のお金と、それ以上の力を持つ方法を見つけなければならない〉

レスリーは考えた。

〈でも、どうやって？　どうやって？〉

知事の就任式は、フランクフォートの州議事堂の庭園で、一〇メートルを超す美しい花時計のそばで執り行われた。

ジャンはオリバーの隣に立って、ハンサムな夫がケンタッキー州知事として宣誓するのを誇らしげに見つめていた。

〈もしオリバーが行儀よくしていれば、つぎに行く先はホワイトハウスだ〉

父はこう保証してくれた。ジャンは、なにごとも間違いのないよう、自分の力の及ぶかぎり注意していこう、と思った。なにごとも間違いのないように。


式が終わったあと、オリバーと義父は知事公舎内の宮殿風の書斎に座っていた。州知事公舎は、ベルサイユ宮殿の近くにあるマリー・アントワネットの別荘、プチ・トリアノンに似せて造られた美しい建物だった。

トッド・デービス上院議員は、豪華な部屋を見回して満足そうにうなずいた。

「きみはここで立派にやれるだろう。立派にね」

「すべてはあなたのお陰です」

オリバーは心から言った。

「ご恩は忘れません」

デービス上院議員は、まあまあというふうに手を振った。

「それはいいから、オリバー。きみがここにいるのは、きみにその値打ちがあるからさ。まあ、わしもちょっとは後押しを手伝ったかもしらんが。しかし、これは始まりにすぎない。わが息子よ、わしは長いこと政治の世界にいて、そこで二、三学んだことがあるんだよ」

彼はオリバーをじっと見て、話を促されるのを待っていた。オリバーは質問をはさむ気配りを怠らなかった。

「それをぜひ、うかがいたいものですね」

「いいかね、人はしばしば誤解しているんだがね。きみがだれを知っているかが大事なのではない」

デービス上院議員はとくとくと説明しはじめた。

「大事なのは、きみが知っている人について、なにを知っているか、なんだ。人間だれしも、小さな秘密をどこかに隠し持っているものだ。きみはそれを掘り出しさえすればいい。そうすれば、彼らはきみの要求をなんでも喜んで聞き入れてくれる。それは驚くほどさ。わしがたまたま知っている例では、ワシントンの下院議員で、過去に愛人問題で大もめしたやつがいる。また、ある北部出身の下院議員は窃盗をやらかして少年院暮らしをしていたことがあった。ほら、もしそういうことが世間に漏れたら、彼らの経歴にどんなにキズがつくか、わかるだろう。でも、それがわれわれには利益を生むんだ」

上院議員は高価な革のブリーフケースをあけると、数枚の書類を取り出した。それをオリバーに手渡しながら言った。

「そこに載っているのは、きみがここケンタッキーでつきあうことになる人たちだ。男も女も、どれも強力な人たちだよ。でも、彼らもみんなアキレスの腱《けん》の持ち主ってわけさ」

彼はにやっと笑って、書類の一行を指さした。

「この市長はとくに弱いアキレス腱を持っている。倒錯趣味という……」

オリバーは書類にすばやく目を通しながら、目をまるくしていた。

「それは金庫にしまっておけよ、聞いてるかい？　それは金塊みたいなものだからな」

「ご心配なく、トッド。気をつけます」

「それから息子よ……彼らからなにかを引き出すときには、過重に圧力をかけてはいかんよ。彼らをへし折って、壊してしまっちゃだめなんだ……ただ、ちょっぴり押し曲げてやればいいんだ」

オリバーはあまり楽しそうな顔つきではなかった。上院議員はそんな彼の様子を眺めやりながら訊ねた。

「ジャンとはうまくいってるのか？」

「ええ、これ以上ないといっていいくらい快調です」

オリバーはすばやく答えた。ある意味で、それは本当だった。オリバーに関するかぎり、これは都合のよい結婚だったから、壊れることのないように気を配っていた。この前の軽率な行為がどんなに高いものについたか、けっして忘れないつもりだった。

「それはけっこう。ジャンの幸せは、わしにとっては非常に大事なことだからな」

それは警告だった。

「ぼくも同じ思いです」

とオリバーは答えた。

デービス上院議員が別の質問をした。

「ところで、ピーター・テイガーをどう思う？」

「たいへん気に入っています。彼には、どれほど助けてもらったことか」

オリバーが熱意を込めて語ると、上院議員はうなずいた。

「それを聞いてうれしいよ。あれほどの人物は、おいそれとは見つからんだろう。オリバー、あの男をきみに貸してやろう。彼なら、きみの行く手から障害を取り除いてくれる」

オリバーはにっこりと白い歯を見せた。

「それはすばらしい。感謝します」

デービス上院議員は立ち上がった。

「それじゃあ、わしはワシントンに戻らなきゃ。なにか必要なことがあれば、知らせてくれ」

「ありがとう、トッド。そうします」

デービス上院議員と会ったつぎの日曜日、オリバーはピーター・テイガーを探した。

「知事、彼は教会に行っています」

「そうか、忘れていた。では、明日会うことにしよう」

ピーター・テイガーは日曜日にはいつも家族と教会に行く。週に三回、二時間もかかる祈禱《きとう》集会に出席していた。オリバーは少々、彼が羨《うらや》ましかった。

〈彼はたぶん、ぼくが知る人のなかで、唯一本当に幸せな男だろう〉

月曜日の朝、テイガーはオリバーの執務室にやってきた。

「オリバー、わたしにご用がおありだとか？」

「頼みたいことがある。個人的なことだ」

ピーターはうなずいた。

「なんでも。わたしにできることなら」

「ひとつ、どこかマンションに部屋がほしい」

テイガーはわざと、信じられないというような表情をつくり、この大きな部屋を見回した。

「知事、ここでは狭すぎますか？」

「いや」

オリバーはテイガーの、塞《ふさ》いでないほうの目をのぞき込んだ。

「わたしはときどき、夜に私的な会合を持つ。それは慎重に行う必要がある。言っている意味がわかるね？」

居心地の悪い間があいた。

「はい」

「町の中心部からはずれたところにほしい。わたしのために、なんとかしてくれるね？」

「やってみましょう」

「もちろん、これはわれわれだけの内密の話だよ」

ピーター・テイガーは悲しそうにうなずいた。

一時間後、テイガーはワシントンのデービス議員に電話をしていた。

「上院議員、オリバーから部屋を借りてくれと頼まれました。内密にとのことです」

「彼がかね？　そうか、彼は学びつつあるんだ。ピーター、言われたようにしてやってくれ。ただし、ジャンの耳には絶対に入れないように」

上院議員はなお少し考えて、こう続けた。

「インディアン・ヒルズ方面にひと部屋見つけてやれ。個人用の入口があるところをな」

「しかし、そんなことをしては、彼のために……」

「ピーター……いいから、見つけてやれ」

第四章

　レスリーは立ち上がろうとしていた。だが、まだ方法が見えていなかった。彼女が抱える問題解決の鍵《かぎ》は、レキシントン・ヘラルド・リーダー紙を見ていたときに見つかった。それは、まったく共通点のない二つの記事のなかにあった。

　一つはオリバー・ラッセル新知事を讃《たた》える、ごますりの社説の最後の文章だった。

《ここケンタッキーの住民で彼を知る人は、いつの日かオリバー・ラッセルがアメリカ合衆国の大統領になったとしても、いささかも驚かないだろう》

　つぎのページには、こんな記事があった。

《ヘンリー・チェンバーズは元レキシントンの住人で、彼の持ち馬ライトニングは、五年前のケンタッキー・ダービーで優勝した。その彼が、このほど三人目の妻ジェシカと離婚した。チェンバーズは現在フェニックスに住み、フェニックス・スターの社主兼発行人である》

大統領と新聞社社主。この二つの言葉が、ある連想を呼んだ。

〈新聞の力。それこそ真の力だ。キャサリン・グレアムと彼女の発行する新聞、ワシントン・ポストは、ウォーターゲート事件を摘発したことで、時の大統領ニクソンを破滅させたっけ〉

考えがまとまったのは、そのときだった。

レスリーはつぎの二日間を、ヘンリー・チェンバーズのことを調べるのに費やした。インターネットに、彼についての興味深い情報があった。チェンバーズは五五歳の慈善家、たばこによる巨万の富を相続したが、生涯をかけてそれを浪費している、と。しかし、レスリーが関心を持ったのは、彼の金ではなかった。

彼が新聞を所有し、離婚したばかりだという事実に注目したのだった。

レスリー・スチュアートはヘンリー・チェンバーズに出会う方法をいろいろ考えた。会える可能性はいくつもあったが、熟考をかさねて、それらを一つ一つ消去していった。心に決めたことを実行するには、ひじょうに注意深く計画を立てる必要があった。その結果、彼女はデービス上院議員のことを思いついた。デービスとチェンバーズは似たような生まれ育ちで、交友範囲も共通だった。

二人の男はきっと知り合いに違いない。こうしてレスリーは、上院議員に電話をすることに決めたのだった。


デービス上院議員と会って三〇分後、レスリーはジム・ベイリーのオフィスに入って行った。

「ジム。わたし、ここを発つことにします」

彼は同情するように彼女を見やった。

「いいとも。きみには休暇が必要だ。戻ったら、今度は……」

「戻らないわ」

「なんだって？　わたしは……きみに辞めてもらいたくない。レスリー、逃げ出しても、問題の解決には……」

「逃げ出すんじゃないわ」

「もう決めたのか？」

「ええ」

「きみを失うのはつらいな。いつ、辞めたいんだ？」

「いまもう、辞めています」

レスリーはフェニックスのスカイハーバー空港に着いた。

ふと思いついて、バス発着所のキオスクに寄り、フェニックス・スター紙を買って目を通した。載っていない。つぎにアリゾナ・リパブリック紙を買い、さらにフェニックス・ガゼット紙を買った。今度は出ていた。ゾルテールの星占いだ。

〈占星術を信じているわけじゃないわ。わたしみたいなインテリが、そんなばかげたこと、信じられるものですか。でも……〉

《獅子《しし》座（七月二三日〜八月二二日）木星があなたの恒星に近づいています。いまロマンチックな計画を立てれば、叶《かな》えられるでしょう。将来の見込みは吉。注意深く進みなさい》

歩道脇で、運転手とリムジンが彼女を待っていた。

「ミス・スチュアート？」

「ええ」

「チェンバーズさんがよろしくとのことです。ホテルまでご案内するように申しつかっています」

「それはご親切に」

レスリーはがっかりした。ご本人が来てくれると思っていたのだ。

「チェンバーズさんは、今晩お食事をご一緒する時間があるかどうか知りたいそうです」

〈そう来なくちゃ。上出来だわ〉

「よろこんで、とお伝えくださいな」

その夜八時に、レスリーはヘンリー・チェンバーズと食事をした。チェンバーズは貴族的な顔立ちで、褐色の髪は白くなりかけていたが、愛想がよく、心のこもった歓迎ぶりを示した。

彼はレスリーを惚《ほ》れぼれと見つめた。

「トッドが親切をほどこしてやると言ったのは、うそじゃなかったな」

レスリーはにっこりした。

「どうも、恐れ入ります」

「あなたはどうしてフェニックスに来ようと思ったんですか、レスリー？」

〈本当のことは知りたくないでしょうね〉

「これまでフェニックスのことを、いろいろ聞かされていましたので、住んでみたらどんなに楽しいだろうと思いまして」

「ここはすばらしいところですよ。きっと好きになります。アリゾナにはなんでもある……グランドキャニオン、砂漠、山脈とね。あなたはここでお望みのものを見つけられますよ」

〈もう見つけたわ、目の前に〉

レスリーは思った。

「住むところが要りますね。探すお手伝いをさせてもらいましょう」

手持ちの金が三カ月ももたないことは、レスリー自身が承知していた。

しかし、結局のところ二カ月で、彼女の計画は成就した。


書店に行けば、いかにして男性を射止めるかを教えてくれる、女性向けのハウツーものの本があふれている。「その気がないように振る舞いなさい」から、「ベッドで引っかけるにかぎります」まで、もろもろの大衆心理学のオンパレードだ。

レスリーはこうしたマニュアルには従わなかった。彼女には彼女のやり方があった。まず、ヘンリー・チェンバーズをじらした。肉体の面ではなく、精神の面において、である。

ヘンリーは彼女のような女性とは会ったことがなかった。彼は、ブロンドの女が美人なら、すなわち彼女は愚かな、御しやすい女である、と思い込むような旧式な男だった。自分では気づいていないが、彼はこれまで、美人ではあるがあまり利口すぎないタイプの女に引っかかりやすかった。彼にとって、レスリーは意外な発見だった。彼女は頭が良く、はっきりと物を言い、驚くほど幅広い話題に精通していた。

彼らは哲学、宗教、歴史について話し合った。ヘンリーは友人にこう打ち明けた。

「たぶん彼女は、わたしと話を合わせるために、いろんな本を読んで、調べているんだ」

ヘンリー・チェンバーズはレスリーとの交際を貪欲《どんよく》に楽しんだ。彼女を友人に見せびらかし、トロフィーのように腕に抱えて歩いた。「楽しいワインと美術のフェスティバル」や、アクターズ・シアターに連れて行った。フェニックス・サンズのプロ・バスケットボールの試合をアメリカ・ウエスト・アリーナで見た。二人はライアン美術館を訪ね、音楽ホールに出かけた。チャンドラーの小さな町にドゥーダ・パレードを見に行った。ある晩はフェニックス・ロードランナーのホッケー試合を見物した。

ホッケーの試合のあと、ヘンリーが言った。

「きみのことがとても好きだよ、レスリー。わたしたちがいっしょになったらすばらしいだろう。ねえ、ベッドで愛し合おう」

彼女は彼の手をとると、やさしく言った。

「わたしもあなたが好きよ、ヘンリー。でも、それはだめよ」

つぎの日、二人は昼食のデートの約束をしていた。ヘンリーから電話があった。

「フェニックス・スター社まで来てくれるかい？　きみに、ここを見せたいんだ」

「うれしいわ」

レスリーは答えた。これこそ彼女が待ち望んでいたことだった。

フェニックスにはほかに二つの新聞があった。アリゾナ・リパブリックとフェニックス・ガゼットだ。三つの新聞のうち、ヘンリーの新聞、フェニックス・スターだけが赤字を出していた。


フェニックス・スターの編集局と印刷工場は、レスリーが予想していたよりも小規模だった。ヘンリーが社内を案内してくれた。レスリーは見てまわりながら、思った。

〈これでは、知事や大統領を引きずり降ろせそうもないわ〉

でも、これは足掛かりとなる踏み台だった。踏み台に乗った後については、はっきりした計画があった。

レスリーは見るものすべてに関心を持ち、いろんな質問をヘンリーに浴びせた。するとヘンリーは、そのつど編集長のライル・バニスターに問い合わせる。レスリーは、ヘンリーが新聞事業についてはほとんど何も知らず、またそのことを気にかけてもいない様子に驚いた。それだけに、いっそうなんでも勉強してやろうと決心した。

ヘンリーのプロポーズを受け入れたのは、レストラン『ボルガータ』でのことだった。このレストランは、イタリアの昔の田舎の建物を模して造られていて、そのディナーはとびきりすてきだった。二人は、ロブスターのクリームスープ、ベアネーズソースをかけた仔牛のメダイヨン、ホワイト・アスパラガスのビネグレット、それにグラン・マルニエ・スフレを楽しんだ。ヘンリー・チェンバーズがとても魅力的に見え、いっしょにいるのが楽しかった。とても美しい夜だった。

「わたしはフェニックスが好きだ」

とヘンリーが言った。

「信じがたいことだが、ここの町の人口は、ほんの五〇年前にはたったの六万五〇〇〇人だったんだよ。それがいまでは一〇〇万人を超えている」

レスリーには聞きたいことがあった。

「ヘンリー、どうしてケンタッキーを出て、ここに移ることにしたの？」

彼は肩をすくめた。

「実はわたしが決めたんじゃない。この肺のせいなんだ。医者たちには、わたしの寿命がどのくらいもつか、見当がつけられなかった。で、アリゾナの気候がいちばんいいと告げたんだ。そこでわたしは、余生を……それが何年であれ……ここで過ごすことにした」

彼はレスリーにほほ笑みかけて、こう付け加えた。

「それで、われわれはいま、ここにいるというわけさ」

彼は彼女の手をとった。

「医者が、ここがいいと教えてくれたとき、彼らはまさかこんないいことがあるとは思いもつかなかっただろうが……。わたしは、きみには齢《とし》をとりすぎていると思うかね？」

心配そうに訊ねた。

レスリーはほほ笑みを返した。

「ずっとお若いわ。わたしよりお若いくらいよ」

ヘンリーは長いこと彼女を見つめた。

「わたしは本気だ。結婚してくれるかね？」

レスリーは一瞬、目を閉じた。ブレークス・インターステート公園の小径にあった手書きの木の看板が目に浮かんだ。「レスリー、ぼくと結婚してくれるかい？」の文字が……。

〈……残念ながら、きみが知事と結婚することになるとは、確約できない。でも、ぼくはかなりいい弁護士だ〉

レスリーは目を開き、ヘンリーを見上げた。

「はい。わたしでよければ」

〈いいえ、なにがなんでもよ〉

二人は二週間後に結婚した。

レキシントン・ヘラルド・リーダーに二人の結婚を告げる記事が載ると、トッド・デービス上院議員はその記事をじっと見つめた。

〈上院議員、お邪魔をしてすみませんが、お目にかかれないでしょうか？　お願いしたいことがあるんです。ヘンリー・チェンバーズさんをご存じですか？　紹介していただけると、たいへんありがたいのですが〉

あのとき彼女がなにかをたくらんでいると感じたものだが、そうか、こういうことだったのかとデービスは思った。

〈もし、これが彼女のたくらみのすべてなら、べつに問題はなかろう。もし、これが彼女のたくらみのすべてであれば、だ〉

レスリーとヘンリーはハネムーンにパリへ行った。

二人でどこかを訪れるたびに、レスリーは思った。オリバーとジャンも、この場所に来たのかしら。この通りを歩いたのかも。ここで食事をし、あそこで買物をして……。彼女は二人がいっしょにいるところを思い描き、愛し合うさまを想像した。オリバーがジャンの耳に、かつて自分にささやいたと同じセリフをささやいたに違いない。彼がこれから高い代償を払うことになる、うそ八百を。

ヘンリーは心から彼女を愛し、彼女を幸せにしようとしてやっきになっていた。別の状況のもとでなら、レスリーは彼を愛していたかもしれない。けれども、彼女のなかの深いところで、なにかが死に絶えてしまっていた。あの、ひとつの言葉を自分に言い聞かせてから。

〈もう二度と、どんな男も信用しないわ〉


フェニックスに戻って二、三日したとき、レスリーはこう言ってヘンリーを驚かせた。

「ヘンリー、わたし、新聞社で働きたいわ」

彼は笑った。

「どうして?」

「おもしろそうだからよ。わたしは広告会社で役員として働いていたわ。その方面でお役に立てるかもしれない」

彼は反対したが、結局、折れた。


ヘンリーは、レスリーが毎日、レキシントン・ヘラルド・リーダーを読んでいることに気づいた。

「故郷の人たちの消息をつかんでおきたいのかね」

彼は彼女をからかった。

「まあそうね」

レスリーは笑った。

彼女はオリバーについて書かれた記事を、むさぼるように読んだ。彼には、成功して、幸せになってもらいたかった。

〈成功や幸せが、大きければ大きいほど……〉


レスリーがヘンリーに、スター紙が赤字を出していることを指摘した。彼は笑って言った。

「ハニー、そんなのは大海の一滴さ。わたしは、きみが聞いたこともないいろんなところから収入を得ている。大事には至らないよ」

レスリーにはしかし、大事なことだった。とても大事なことだった。彼女が新聞の経営に熱中しはじめてからわかったことだが、赤字の最大の原因は組合だった。フェニックス・スター紙の印刷機は旧式だった。組合は、新しい機械の導入に反対していた。組合員から仕事を奪うからだというのだ。組合は目下、フェニックス・スター社と新しい契約を結ぶべく、交渉をかさねていた。

レスリーがこの状況をヘンリーに相談すると、彼は言った。

「なんでそんなことに、やきもきしているんだ？　もっと楽しいことをしようじゃないか」

「わたしは楽しんでるわ」

レスリーは夫にそう答えた。


レスリーはスター社の弁護士であるクレイグ・マカリスターと会った。

「交渉はどうなっています？」

「チェンバーズ夫人、いい知らせをお伝えしたいところですが、残念ながら状況はよくありません」

「まだ交渉の余地はあるんでしょう？」

「表向きはね。だけど、印刷工組合の委員長、ジョー・ライリーは頑固な野郎……いえ、頑固な男でして、少しも譲らないんです。印刷工組合との契約期限が切れるまで、あと一〇日しかありません。それまでに新しい契約が成立しなければ、ストを打つとライリーは言ってるんです」

「彼の言うことを信じるの？」

「はい。組合に屈服はしたくないんですが、彼らなしでは新聞は出せないという現実があります。彼らは会社を潰《つぶ》すことができるんです。ストライキで一日分の生産が消えれば、その損害は永久に取り戻せません。一日遅れの新聞なんて、価値はないですからね。組合に抵抗を試みたあげく、潰れた新聞社は少なくないんです」

「彼らはなにを要求しているの？」

「いつものことですよ。労働時間の短縮、賃上げ、将来のオートメーション化に対する防戦……」

「彼らは会社を圧迫しているわ、クレイグ。わたしは気に入りません」

「これは感情の問題ではなく、現実的な問題なんですよ、チェンバーズ夫人」

「では、あなたの助言は、屈服すること？」

「ほかに道はないと思います」

「わたしがジョー・ライリーと話し合ったらどうかしら？」


会合は午後二時に設定されていたが、レスリーは昼食から戻るのが遅れた。彼女が受付の部屋に入っていったとき、ライリーはレスリーの秘書であるエイミーとおしゃべりをしながら待っていた。エイミーは黒い髪をした若くてかわいい娘だ。

ジョー・ライリーは四〇代半ばの、いかついい顔をしたアイルランド人である。一五年以上も印刷工をしていて、三年前に組合の委員長になった。この業界ではもっとも手ごわい交渉相手だという評判だ。レスリーはちょっと立ち止まり、エイミーとふざけている彼を観察した。

ライリーがしゃべっていた。

「……そこで男は女に向かって言った。『きみは簡単にそう言うけど、ぼくはどうやって帰るの？』」

エイミーは声を立てて笑った。

「ジョー、どこでそんなおもしろい話を仕入れるの？」

「いろんなところでさ、ダーリン。どうだい、今夜、食事でも」

「いいわよ」

ライリーが顔を上げた。レスリーの姿があった。

「こんちは、チェンバーズ夫人」

「こんにちは、ライリーさん。どうぞ、こちらへ」


ライリーとレスリーは会議室に向かい合って座った。

「コーヒーでもいかが？」

レスリーが勧めた。

「いや、けっこうです」

「もっと強いものは？」

彼はにやっと笑った。

「就業時間内の飲酒は規則違反ですからね、チェンバーズ夫人」

レスリーは大きく息を吸い込んだ。

「二人だけで話し合いを持ちたいと思ったのは、あなたがとてもフェアな人だと聞いているからです」

「そう努めてます」

とライリーが答えた。

「わたしが組合に対して好意的であるということは、知っておいてもらいたいの。あなたがたには一定の権利があることは認めます。でも、あなたがたの要求は非現実的です。組合の慣行のなかには、会社に年間数百万ドルの支出を強いているものがあります」

「具体的に挙げてもらえますか?」

「よろこんで。たとえば規定の労働時間内で働かずに、時間外賃金が出る交替制で働こうと算段する人たちがいます。ある人たちは週末ぶっつづけに三交替に出ていますよ。そういうのを『金の徴収に行く』と言ってるそうね。今後、会社はそういうお金は出せません。会社が赤字なのは、設備が古いからです。新しいコールドタイプの製版機を入れれば……」

「絶対反対! あんたたちが入れたいと思ってる新しい設備は、組合員の仕事を奪う。おれは機械のために組合員を路頭に迷わせる気はない。あんたたちの、くそったれ機械はめしを食う必要はないが、おれの組合員は食わなきゃならないんだ」

ライリーは立ち上がった。

「契約は来週切れる。われわれは望むものを手に入れるか、さもなければストを打ちますよ」


その夜、レスリーはこの話し合いのことをヘンリーに語って聞かせた。彼はこう言っただけだった。

「きみは、なぜそんなことに首を突っ込むんだ？　組合というものは、会社がいやでも共存しなくてはいけないものなんだ。愛するきみに、ちょっと忠告させてもらうよ。きみはこういうことに不慣れだ。それに、きみは女だ。男にやらせなさい。そんな……」

彼は息を切らして、話すのを止めた。

「あなた、大丈夫？」

彼はうなずいた。

「きょうは主治医のヤブ医者に診てもらったよ。酸素ボンベを備えとくと、いいそうだ」

「手配しましょう」

とレスリーが言った。

「それから看護婦を頼んで、わたしのいないときには彼女に……」

「ごめんだ！　看護婦は要らない。わたしは……少し疲れているだけだ」

「さあ、ヘンリー。ベッドに行きましょう」

三日後、レスリーが緊急重役会を招集したとき、ヘンリーは言った。

「ベイビー、きみが出てくれ。わたしは家で休んでるよ」

酸素ボンベは効き目があったが、彼は疲れて元気がなかった。

レスリーはヘンリーの主治医に電話をかけた。

「夫は体重が減って、そのうえ、痛みを訴えています。どうにかできませんか？」

「チェンバーズ夫人、われわれは出来るだけのことはしています。十分に休みをとって、薬物療法を続けてください」

レスリーは電話を終えると、ベッドに横たわって咳《せき》をしているヘンリーを見守った。

「会議のほう、すまん」

ヘンリーが言った。

「重役会はきみが取り仕切ってくれ。と言ったって、打つ手はなにもないが」

彼女は笑顔を見せただけだった。

第五章

重役会のメンバーが会議室に集まっていた。それぞれがテーブルについて、コーヒーを飲んだり、ベーグルとクリームチーズを取り分けて食べながら、レスリーを待っていた。

レスリーが入ってきて、口を開いた。

「みなさん、お待たせしました。ヘンリーがよろしくと申しておりました」

重役会の雰囲気は、レスリーが初めて出席したころと、ずいぶん変わっていた。初めのうちは、会議のメンバーは彼女を相手にしなかった。まるで、出しゃばり女、といった扱いだった。だが、レスリーがこのビジネスについて勉強し、聴くに値する意見を出すようになると、彼らはしだいに彼女を尊敬するようになった。

会議がこれから始まろうというとき、レスリーはコーヒーを配っていたエイミーに向かって言った。

「エイミー、あなたにはここにいてもらいます」

エイミーはびっくりした顔で彼女を見た。

「すみません、チェンバーズ夫人。わたし、速記はあまり得意じゃないんです。シンシアなら、もっと上手に……」

「会議の記録をとるためじゃないの。最後にどういう結論が出たか、それだけを書き留めてちょうだい」

「はい、わかりました」

エイミーはノートとペンをとると、壁際の椅子に座った。

レスリーは出席者たちのほうに向き直って、おもむろに口を開いた。

「当社は、問題をひとつ抱えています。印刷工組合との契約が切れかかっています。これまで三カ月かけて協議してきましたが、まだ合意に達することができません。わたしたちは決定を、それも早く、しなければなりません。わたしが送った報告書はすでに読んでおられるでしょうから、みなさんのご意見を伺うことにします」

彼女は地元で法律事務所を開いているジーン・オズボーンを見た。

オズボーンが言った。

「わたしの意見を、と言われれば、彼らはすでに十分すぎるものを手に入れていると思うね。いままた、欲しがるままに与えれば、明日はもっとよこせと言い出すに違いないさ」

レスリーはうなずき、つぎに、この土地でデパートを経営するアーロン・ドレクセルのほうを見た。

「アーロン、あなたは？」

「同感ですな。だいたい、組合規則をたてにとった労働慣行が多すぎますよ。連中になにかを与えるなら、その見返りにわれわれもなにかを得なければ。わたしに言わせれば、ストをやりたいのはわれわれのほうだ。彼らじゃないですよ、まったく」

ほかのメンバーの意見も同じようなものだった。

レスリーが言った。

「わたしの意見は、みなさんのとは違います」

彼らは驚いたように、彼女を見た。

レスリーは続けた。

「わたしは彼らに、望んでいるものを与えるべきだと思います」

「そんなばかな……」

「彼らが新聞を支配することになりますぞ……」

「やつらは引き下がることを知らないから……」

「連中に屈服するわけにはいかない……」

レスリーはメンバーの話すがままに放っておいた。

彼らが言いたいことを言い終えると、彼女は口を開いた。

「ジョー・ライリーはフェアな男です。彼は自分がなにを要求しているかが、わかっています」

壁を背にして座っていたエイミーは、議論を聞いてびっくりしていた。

女性メンバーの一人が発言した。

「あの男の味方をするとは驚きだわ、レスリー」

「わたしはだれの味方もしません。この問題について筋を通したいと考えているだけです。ともかく、わたしが結論を出すわけにはいきませんから、多数決でいきましょう」

彼女はエイミーのほうを振り返った。

「これを記録してもらいたいのよ」

「はい、わかりました」

レスリーは向き直り、メンバーに告げた。

「では、組合の要求に反対の方は手を挙げてください」

一一人の手が挙がった。

「挙げなかったのはわたしだけね。エイミー、記録にはわたしが『賛成』に投票し、会議の残りのみなさんは、組合の要求を受け入れないほうに投票したと書いてね」

エイミーはノートに書き入れた。その顔はなにかを考えているような風情だった。

レスリーが言った。

「では、そういうことで」

彼女は立ち上がった。

「もし、ほかに用件がなければ、これで……」

ほかのメンバーも立ち上がった。

「ご出席ありがとうございました」

彼女は皆が帰るのを見送ると、エイミーに言った。

「それをタイプしてくれる？」

「すぐにいたします、チェンバーズ夫人」

レスリーは自分のオフィスへ向かった。


一時間後、電話があった。

「一番の電話に、ライリーさんからです」

エイミーが伝えた。

レスリーは電話をとった。

「もしもし」

「ジョー・ライリーです。あんたの努力に感謝したくて」

レスリーが言った。

「なんのことでしょう……」

「重役会議ですよ。なにが起きたか、聞いたんだ」

「驚いたわね、ライリーさん。あれは非公開の会議ですよ」

レスリーがそう言うと、ジョー・ライリーはくすくすと笑った。

「おれは目立たないところに友だちがいる、とだけ言っておこうかな。ともかく、あんたがしようとしたことはすばらしいと思う。効き目がなかったのは残念だが」

短い間を置いてから、レスリーがゆっくりと言った。

「ライリーさん……わたしの力で効き目があるようにしたら、どうかしら？」

「どういうことです？」

「考えがあるの。電話では話したくないわ。どこか……人目につかないところで会いませんか？」

少し間があった。

「いいですよ。どこにします？」

「二人とも、顔を知られてないところで」

「ゴールデン・カップはどうです？」

「いいわ。一時間で行きます」

「では、そこで」

『ゴールデン・カップ』は悪名高いカフェで、フェニックスの鉄道線路近くの、いかがわしい区域にあった。警察が、旅行者に対して、その地域には近寄らないように警告していたほどだ。

ジョー・ライリーが隅のボックス席に座っていると、レスリーが入ってきた。彼は立ち上がって、彼女を迎えた。

「来てくれてありがとう」

レスリーが言った。二人とも腰を降ろした。

「あんたが、ストライキをしないでも望むものを手に入れる方法がある、というから、おれは来たんですよ」

「方法はあるのよ。わたしが思うに、重役会の連中は愚かで、先が見えない人たちばかりだわ。彼らを説得しようとしたけど、どうしても聞き入れないの」

彼はうなずいた。

「わかってますよ。あんたは連中に、組合と新しい契約を結ぶようにって提案してくれた」

「そうよ。彼らは、新聞にとってあなたがた印刷工がどんなに大事なものか、わかってないのね」

彼は不思議そうな顔をして彼女を見た。

「でも、多数決であんたは負けてしまったわけだ。これ以上、どうやって……?」

「重役会がわたしに賛成しなかったのは、組合の力を本気にしてないからよ。あなたが、本気だぞってところを彼らに見せるべきなの」

「どうやって？」

彼は、まだわからないといった顔である。

レスリーが周りを気にして、声をひそめた。

「これから話すことは極秘よ。でも、これが組合の望むものを手に入れる唯一の方法なんですから。簡単なことなのよ。彼らは、あなたがはったりをかけていると思ってる。真剣そうに見せかけているだけと思ってるの。あなたが、本気だということを示さなくっちゃ。契約は今度の金曜日の夜中の一二時に切れるのよ」

「そうだけど……」

「彼らは組合が、ただ静かにストに入ると思ってるわ」

彼女は身を乗り出した。

「そんなことしちゃ、だめ！」

彼のほうもぐいっと身を近づけて聞いている。

「あなたたちなくして、スター紙は経営できないってところを、彼らに見せてやりなさい。子羊のようにおとなしくストに入るだけではだめ。会社になんらかの損害を与えてやるのよ」

彼は目をむいた。

レスリーが急いで付け加えた。

「ひどい損害を与えろというのではないのよ。あなたたちが本気だということをわからせる程度にってこと。ケーブルを二、三本切るとか、印刷機を二、三台使えなくするとかね。こういう機械を作動させるには、あなたたちが必要なんだってこと、彼らに教えてやりなさい。損害は一日か二日ですべて修復できるわ。でも、その間、彼らを怖がらせ、正気に返らせるの。彼らも最後には、自分たちがどういう人たちを相手にしているかがわかるでしょう」

ジョー・ライリーは長いこと座ったままレスリーを見つめていた。

「あんたはすごいレディだ」

驚きとも感嘆ともつかない声をしぼり出した。

レスリーが言った。

「そうでもないわ。何度も考えたうえで、とても単純な選択をしただけよ。あなたたちは修復可能な、ちょっとした損害を与えるだけで、組合に対する重役会の姿勢を変えさせることができるわけ。こうでもしないと、あなたは本気でストライキを命じるでしょうし、その結果、新聞が修復不可能な致命傷を受けることになるんですからね。わたしの関心は、新聞を守ることにあるんですもの」

ライリーの顔にゆっくりと笑みが浮かんだ。

「チェンバーズ夫人、おれにコーヒーを一杯おごらせてくれ」

「ストライキだ！」

金曜日の夜中、零時一分過ぎ。ジョー・ライリーの指令のもとに、印刷工たちはいっせいに攻撃を開始した。

機械から部品をはぎ取り、備品を載せたテーブルをひっくり返した。印刷機二台に火をつけた。それを止めようとした守衛をこっぴどく殴りつけた。彼らは、機械をほんの二、三台使えなくするつもりでことを始めたのだが、しだいに興奮して、過激さを増してきた。

「おれたちを小突きまわしたらどんなことになるか、やつらに見せてやれ！」

印刷工の一人が叫んだ。

「おれたちなしでは、新聞は出ないんだ！」

「スター紙はおれたちだ！」

喝采《かっさい》が起きた。男たちはますます破壊の範囲を広げていった。印刷工場は修羅場《しゅらば》と化した。

突然、工場内がまぶしい光であかあかと照らされた。部屋の四隅で強力なライトが点灯され、興奮のるつぼが照らし出されたのだ。男たちは怪訝《けげん》そうに見回した。ドアの近くで、数台のテレビ・カメラが火災と破壊の現場を撮っていた。カメラのそばには、アリゾナ・リパブリック紙、フェニックス・ガゼット紙をはじめ、そのほかの通信社の記者たちがいて、この大混乱を報道していた。警官と消防士とが少なくとも十数人はいた。

ジョー・ライリーはショックを受けていた。周りを見ながら思った。

〈いったいどうして、こいつらはこんなに早く来たんだ?〉

警官が近づき、消防士がホースの栓をひねった瞬間、ライリーは、ふいにこの事態を理解した。

〈わかったぞ!〉

それは、腹に一発ぶちこまれたような衝撃だった。

〈レスリー・チェンバーズにはめられた! 組合が仕掛けたこの破壊の行為が、テレビの映像を通して茶の間に流れたら……組合への同情はなくなるだろう。世論はおれたちに背を向けるだろう。あの牝《めす》イヌめ! 初めからこれを企んでいたんだ……〉


一時間のうちにテレビは映像を流し、ラジオはおぞましい破壊行為をこまごまと伝えた。世界中の通信社がその記事を配信した。記事の主題は、飼い主の手を嚙《か》んだひどい従業員たち、というものだった。それはフェニックス・スター社の広報活動の勝利であった。

レスリーの準備はそつがなかった。この事態になるまでに、彼女はひそかにスター社の重役たち何人かをカンザス州に送り、大型印刷機の操作方法を学ばせていた。また、社内の非組合員には、金属活字を用いないコールドタイプ方式の製版技術を教えた。

今回の設備破壊事件のすぐあとで、ストライキをしていたほかの二つの組合、郵送係と写真製版工の組合は、スター社に和解をもとめてきた。

各業種の組合が挫折《ざせつ》し、技術の近代化への道が開かれると、新聞は利益を出し始めた。生産性は一夜にして、二〇パーセント上がった。

ストライキの翌朝、エイミーはクビになった。

ヘンリーとレスリーの二年目の結婚記念日の夕方、ヘンリーが消化不良を訴えた。その日は金曜日だったが、翌土曜日の朝には、それが胸の痛みに変わっていた。レスリーは救急車を呼び、急いで彼を病院に運んだ。日曜日に、ヘンリー・チェンバーズは亡くなった。

彼は全財産を、レスリーに残した。

葬儀を終えたあとの月曜日に、クレイグ・マカリスター弁護士がレスリーに会いにきた。

「あなたと法律上のことを検討したいと思いまして。でも、まだ早すぎるとおっしゃるようでしたら……」

「いいえ」

とレスリーは答えた。

「わたしは大丈夫です」

レスリーはヘンリーの死に、自分が予想していたよりはるかに大きな衝撃を受けていた。彼は愛すべき、やさしい男だった。それなのに彼女は、オリバーへの復讐《ふくしゅう》をどう果たすかということばかりにこだわって、ヘンリーをその手段として利用した。彼女は心に痛みを感じた。ところがこの自責の念は、なぜかいっそう強く、オリバーを破滅させなければという思いに駆り立てたのだった。

「スター紙はどうなさいますか？」

マカリスターが訊ね、こう付け加えた。

「この新聞の経営に、時間をかけるおつもりはないだろうと推察しますが」

「わたしは、まさにその〝おつもり〟よ。これからの拡張を考えているところなの」

レスリーはまず『マネージング・エディター』という業界誌を取り寄せた。ここには、アメリカ全土に散在する新聞ブローカーの名前が載っている。レスリーはそのなかから、ニューメキシコ州サンタフェにある「ダークス・ヴァン・エッセン・アソシエーツ」を選んだ。

そこに電話をした。

「こちらヘンリー・チェンバーズの未亡人です。新聞を一つ手に入れたいのですが、なにかありますかしら……」

その答えは、オレゴン州ハモンドのサン紙だった。

レスリーはマカリスターに命じた。

「あちらに飛んで、見てきてちょうだい」

二日後、マカリスターから電話がきた。

「チェンバーズ夫人、サン紙のことは忘れてください」

「なにがいけないの？」

「まずいのは、ハモンドの町には二つの新聞があるってことです。サンの発行部数は一万五〇〇〇、もう一つの新聞、ハモンド・クロニクルは二万八〇〇〇。サンのほぼ倍です。しかもサンのオーナーは、五〇〇万ドルの売値をつけているんですよ。この取引には意味がありません」

レスリーはしばらく考えていた。

彼女は言った。

「待っていて」

「そちらに行くわ」

それからの二日間を、レスリーはサン紙について研究し、帳簿を調べて過ごした。

「どう見ても、サンはクロニクルの競争相手にはなりませんよ」

マカリスターが彼女に進言した。

「チェンバーズ夫人、クロニクルは伸びています。サンのほうときたら、過去五年間、発行部数が年々落ちていってるんです」

「わかってます」

レスリーは言った。

「わたしは、買うつもりよ」

彼はあっけにとられて彼女を見た。

「なんとおっしゃいました？」

「サンを買うのよ」


取引は三日で完了した。サンの元社主は、新聞を厄介払いできたことで喜んでいた。

「ご婦人をカモにして、取引成立さ」

彼は得意顔で言った。

「彼女はまるまる五〇〇万払ったんだよ」

ハモンド・クロニクルの社主、ウォルト・メリウェザーがレスリーに会いにきた。

「あなたがわたしのライバルになったそうで」

彼は機嫌のいい、にこにこ顔だった。

レスリーはうなずいた。

「そのとおりですわ」

「もしあなたが、当地でうまくいかなかったら、サンをわたしに売りたくなるかもしれませんな」

レスリーはほほ笑んだ。

「逆に、もしうまくいったら、あなたがクロニクルをわたしに売りたくなるでしょうね」

メリウェザーは笑った。

「たしかに。幸運を祈りますよ、チェンバーズさん」

メリウェザーはクロニクル社に戻ると、自信ありげに言った。

「半年以内に、サンはわが社のものになるよ」


レスリーはフェニックスに戻り、スター紙編集局長のライル・バニスターと話した。

「あなたは、わたしとオレゴン州のハモンドに行くのよ。サン紙が経済的に立ちゆくところまで、経営してほしいの」

「マカリスターさんと話しましたよ」

バニスターが言った。

「その新聞は、立ち上がろうにも、足腰がヨタヨタしているそうじゃないですか。失敗は避けられないと言ってましたよ」

彼女はちょっと彼を見つめた。

「わたしの言うとおりにしなさい」


オレゴンで、レスリーはサンのスタッフと会合を持った。

「今後は、ちょっと違うやり方をします」

彼女は皆に告げた。

「この町には新聞が二紙ありますが、いずれわれわれが二つとも所有する予定です」

サンの編集主幹であるデレク・ゾーンズが言った。

「ちょっと、ミセス・チェンバーズ。あなたは状況を理解しておられるとは思えませんね。うちの新聞の発行部数はクロニクルよりずっと少ない。それに毎月減っているんです。とても追いつきそうもありませんよ」

「追いつくだけじゃありません」

レスリーはこう断言した。

「わたしたちはクロニクルを業界から追い出すことになるのです」

この部屋にいた男たちは互いに顔を見合わせた。彼らは一様に同じことを考えていた。

〈たのむから、女と素人《しろうと》はこの業界に足を踏み入れないでくれよ〉

「そのためには、あなたはどうするおつもりで？」

ゾーンズは丁重に訊ねた。

レスリーが問い返してきた。

「闘牛を見たことがおあり？」

彼は目を白黒させた。

「闘牛？　いいえ……」

「いい？　闘牛士はね、猛牛がリングに突進してきても、すぐには殺しに行かないの。彼は猛牛を出血させ、弱らせてから殺すんです」

ゾーンズは笑いを嚙みころすのに苦労をした。

「では、われわれはクロニクルに血を流させると？」

「そのとおりです」

「どうやって、血を？……」

「月曜日から、サン紙の定価を三五セントから二〇セントに下げます。広告料を三〇パーセント値引きします。来週からは懸賞つきコンテストを始めます。優勝した読者に世界一周無料旅行を提供します。コンテストの宣伝をすぐ始めましょう」

このあと、社員たちはこもごも集まって、会合のことを話し合った。彼らのあいだで意見が一致したのは、おれたちの新聞を買収したのは気のふれた女だ、ということだった。

「出血作戦」が始まった。もっとも、出血しているのは、サン紙のほうだった。

マカリスターがレスリーに言った。

「サンがどのくらい損金を出しているか、わかってますか？」

レスリーは答えた。

「いくら損をしているかは、よくわかってます」

「どのくらい、これを続けるつもりなんです？」

「勝つまでよ」

レスリーが言った。

「心配しないで。わたしたちは勝ちます」

内心では、レスリーはハラハラしていた。損金は週ごとに増えていった。もう後戻りできない地点に来ていた。

「あなたの理論は有効じゃなかったですね」

マカリスターは言った。

「新聞が潰《つぶ》れないうちに、損金を減らすことをお考えにならないと」

つぎの週、発行部数の落ち込みが止まった。

八週目から、サンの部数は上昇を始めた。

新聞と広告料の値下げはたしかに人を引きつけたが、サンの部数を増やした最大の要因は懸賞つきコンテストだった。コンテストは一二週にわたって行われ、参加者は毎週競争をしなければならない。賞品は南洋諸島へのクルーズや、ロンドン、パリ、リオへの旅だった。優勝者たちへ賞が贈呈される写真が新聞の第一面に載ると、サンの部数は爆発的に伸びた。

「危ない賭《か》けでしたね」

クレイグ・マカリスターはそう言い、しぶしぶ付け加えた。

「でも、効果はありました」

「賭けではないわ」

レスリーが言った。

「人はただで貰《もら》えるものには、抵抗できないものなのよ」

ウォルト・メリウェザーは、最新の発行部数表を手にして、かんかんに怒った。ここ数年間で、クロニクルは初めてサンに追い抜かれたのだ。

「そういうことなら」

メリウェザーはきっとした顔で言った。

「柳の下にどじょうは二匹だ。うちも広告料を値引きして、何かコンテストをやろう」

しかし、遅すぎた。

レスリーがサン紙を買収して一一カ月後に、ウォルト・メリウェザーが彼女に会いに来た。

「店じまいするよ」

彼はそっけなく言った。

「クロニクルを買いたいかね?」


クロニクル紙を買収する契約がまとまった。その日、レスリーはスタッフを呼び集めた。

「月曜日からサン紙の定価を上げます。広告料を二倍にし、コンテストは廃止します」


一カ月後、レスリーがクレイグ・マカリスターに言った。

「デトロイトのイブニング・スタンダードが売りに出ているの。傘下のテレビ局もいっしょにね。契約することにしますから」

マカリスターは反対した。

「チェンバーズ夫人、われわれはテレビのことはなにも知りませんよ。それに……」

「それなら、知るようにしなくてはね、そうでしょ？」

レスリーの追い求める帝国は、しだいに形を成しつつあった。

第六章

オリバーも毎日が充実していた。

彼はなにをやるにも、いつも楽しんでやった。行政上の任命を行い、法律を発効させた。歳出予算を承認し、会議やスピーチや、報道陣とのインタビューをこなした。それらがいっこうに苦にならない様子が、はた目にも伝わってくる。

州都フランクフォートのステート・ジャーナル紙、レキシントンのヘラルド・リーダー紙、ルイスビルのクーリエ・ジャーナル紙は、オリバーに関していつも熱のこもった報道をした。彼には、実行力のある有能な知事、という評判がついてまわるようになった。オリバーは急速に、トップクラスの富豪たちと付き合うようにもなった。彼には、それがトッド・デービス上院議員の娘と結婚したせいであることがわかっていた。

オリバーはフランクフォートでの生活を楽しんだ。フランクフォートは由緒のある美しい町だ。

風光明媚《めいび》な渓谷に抱かれ、周りにはケンタッキーの名高いブルーグラスが生える丘が連なっていた。ワシントンDCに住んでもこんな気分を味わえるのだろうか、などと思いをめぐらせたりした。

多忙な日々が過ぎていき、数週間が、そして数カ月がたった。オリバーは任期の最後の年にさしかかっていた。

オリバーはピーター・テイガーを報道官にしていた。この人選は大当たりだった。テイガーは報道陣に、いつでも率直に対応した。テイガーがよく話題にする上品で古風な価値観は、彼の人柄そのものであり、同時にそれは、この党派の存在感と品位とを印象づけた。ピーター・テイガーと彼の黒いアイパッチは、テレビでもおなじみの光景となった。彼はオリバーと、ほとんど同じくらいよく知られるようになった。

トッド・デービスは、月に一度は必ずフランクフォートに飛んできて、オリバーに会うのを常としていた。

彼はピーター・テイガーに言った。

「サラブレッドを走らせることに成功したら、つぎは馬がタイミングを逃さないように注意してやらんといかん」

一〇月のうそ寒い夜、オリバーとデービス上院議員はオリバーの書斎で座っていた。二人はジャンとともに『ガブリエル』でディナーをとり、知事公舎に戻ったところだった。ジャンは男たちが話し始めると、気を遣って部屋から出ていった。

「ジャンはとても幸せそうに見えるね、オリバー。わしもうれしいよ」

「彼女を幸せに、と心がけています、トッド」

デービス議員はオリバーを見ながら、この男はあのマンションの部屋を何回使っただろう、と考えた。

「娘は、あんたを心から愛しておる」

「ぼくも、妻を愛してます」

オリバーの言葉は誠実そのものに聞こえた。

デービス議員は笑顔をつくった。

「それを聞いてうれしいよ。あの子はいまからもう、ホワイトハウスの改装をあれこれ考えているんだ」

オリバーはドキンとした。

「なんですって？」

「おや、言わなかったかね？　もう始まってるんだよ。ワシントンでは、あんたの名前がしょっちゅう《ゅう》引き合いに出されているんだ。年が明けたら、キャンペーンを始めるつもりさ」

オリバーは恐る恐る質問をした。

「トッド、ぼくにチャンスがあると、本当にお思いですか？」

「チャンスという言葉には『賭《か》け』の意味が含まれている。わしは賭けはやらない。確実だと納得してからでないと、わしはなにごとにも関わらない主義なんじゃよ」

オリバーは大きく息をついた。

〈世界でいちばん重要な男になれるんだ〉

「トッド、あなたがぼくのためにしてくれたあらゆることに、ぼくがどんなに感謝していることか」

トッドはオリバーの腕を軽くたたいた。

「義理の息子を助けるのは、人の義務だ。そうじゃないかい？」

「義理の息子」に込めた強い調子から、オリバーはなにか次があるなという予感を抱いた。

上院議員がさりげなく言った。

「ところで、オリバー、きみの立法部門が例のたばこ課税法案を可決したのにはがっかりしたよ」

「州の会計予算の不足分を、その金で埋めるという……？」

「もちろん、あんたは法案通過に拒否権を行使するだろうね」

オリバーは義父を見つめた。

「拒否権を？」

デービス上院議員はかすかに笑った。

「オリバー、わしは自分のために言ってるんじゃないよ。だけど、わしの友人の多くが、骨を折って稼いだ金をたばこ農園に投資しているんだ。彼らが過酷な新税で痛めつけられるのを、黙って見ていられるかね？」

しばし沈黙が流れた。

「どうだね？　オリバー」

「見ていられないでしょうね」

オリバーはとうとう相槌《あいづち》を打ってしまった。

「それはフェアじゃないと思います」

「その言葉を聞いてうれしいよ。まことにうれしい」

オリバーが言った。

「ちょっと耳にしたのですが、あなたはご自分のたばこ農園を売られたとか」

「わしが？」

トッド・デービスは驚いた顔で彼を見た。

「どうして、わしがそんなことをする？」

「それは、たばこ会社がいろんな裁判で敗訴しているからでしょう。たばこの売上げは落ちているし……」

「きみが言うのは、アメリカ国内のことだろう。世界は広いんだよ。われわれのキャンペーンが、これから中国、アフリカ、インドで一斉に始まるから。まあ、見ててごらん」

彼は腕時計に目をやり、立ち上がった。

「ワシントンへ戻らないと。安全保障理事会の打合せがあるんだ」

「道中、お気をつけて」

デービス議員は晴ればれとした顔で言った。

「これで気分よく帰れるよ、きみ。気分よくね」


オリバーは気が動転していた。

「ピーター、いったいどうしたらいいんだ？　たばこ税は立法部が今年通した法案のなかでもっとも人気のあるものだ。どんな口実で、拒否権が行使できるというんだ？」

ピーター・テイガーはポケットから数枚のメモを取り出した。

「答えはすべてここにありますよ、オリバー。上院議員と相談しておきました。なんのご心配も要りません。四時に記者会見を予定してありますから」

オリバーはその内容を検討した。やがて、彼はほっとしたようにうなずいた。

「よく出来ている」

「わたしが作ったんです。ほかにご用は？」

「ない。ありがとうよ。では、四時に会おう」

ピーター・テイガーが立ち去ろうとしたとき、オリバーがもう一度声をかけた。

「ピーター」

テイガーが振り向いた。

「なにか？」

「教えてくれないか。ぼくが大統領になるチャンスは、ほんとうにあると思うかね？」

「上院議員はなんと言われましたか？」

「ある、と言った」

テイガーはオリバーのデスクまで戻ってきた。

「オリバー、わたしは長年デービス上院議員に仕えてきましたが、彼が誤ったことは一度もありません。一度もね。あの人はすごい直感の持ち主なんです。あなたが次期大統領になれるとトッド・デービスが言ったのなら、もうなにを賭けても大丈夫ですよ」

ドアにノックがあった。

「どうぞ」

魅力的な若い女性秘書が、ファクスを持って入ってきた。二〇代前半の、はきはきとして、利発そうな女性だ。

「あら、ごめんなさい、知事。お話し中とは存じませんで……」

「いいんだ、ミリアム」

テイガーは笑顔になった。

「やあ、ミリアム」

「こんにちは、テイガーさん」

オリバーが言った。

「ぼくはミリアムがいないと、やっていけないよ。彼女はなんでもこなしてくれるからね」

ミリアムは顔を赤らめた。

彼女はファクスをオリバーのデスクに置くと、

「ほかにご用がなければ……」

と言い、足早に去っていった。

「可愛い女性だな」

テイガーが言った。彼はオリバーのほうをじろじろと眺めている。

「そうだね」

「オリバー、用心はしているんでしょうな」

「もちろんだ。だから、あのマンションの小部屋を借りてもらったんだ」

「わたしが言っているのはただの用心ではない。最大級の用心を、ということです。レースの賞金は上がっているんですから。今度、女が欲しくなったら、ミリアムであれ、アリスであれ、カレンであれ、彼女らが大統領執務室を棒に振るほどの値打ちがあるかどうか、考えてみることですな」

「あなたの言うことはわかるよ、ピーター。それは感謝する。でも、心配は無用だ」

「それなら、けっこう」

テイガーは時計を見た。

「行かなくては。ベッツィーと子どもたちを、昼食に連れて行くんです」

彼は笑顔を取り戻していた。

「けさ、レベッカがなにをしたか、話しましたっけ？　わたしの二歳の娘なんですよ。あの子は子供用のビデオを八時に見るつもりでした。ベッツィーが、いい子ちゃん、お昼ごはんのあとで見せてあげるわね、と言ったんです。すると、レベッカは母親にこう言ったんですよ。ママ、いまお昼ごはんにしたいわって。すごく利口でしょう、ね？」

オリバーはテイガーの誇らしげな口調に、ほほ笑まずにはいられなかった。


その夜一〇時に、オリバーはジャンの部屋に入っていった。彼女は読書をしていた。

「ハニー、出かけなければいけないんだ。会議があってね」

ジャンが見上げた。

「こんな夜中に？」

彼はため息をついた。

「そうなんだ。あすの朝、予算委員会があるので、その前にわたしに説明をしておきたいと言うんだよ」

「あなた、働き過ぎよ。早く帰ってね、オリバー」

彼女はちょっと言いよどんでいたが、こうつづけた。

「近ごろはよく出かけるのね」

これは警告だろうか、と彼は考えた。妻に歩み寄ると、かがんでキスをした。

「心配しないで、ハニー。できるだけ早く戻る」

階下に降りて、オリバーは運転手に言った。

「今夜は用はないよ。小さいほうの車に乗って行くから」

「わかりました」


「遅かったのね、ダーリン」

ミリアムは一糸まとわぬ姿で待っていた。

彼はにっこりと笑うと、彼女のところに歩み寄った。

「すまなかった。きみがぼくをほうっておいて、ひとりで気持ちのいいことを始めてなくてよかった」

女は笑った。

「抱いて」

彼は女を腕にとって抱き寄せた。女はあたたかな裸身を、彼の身体に押しつけた。

「脱いでよ、はやく」


終わってから、彼は言った。

「ワシントンDCに移りたくないかい？」

ミリアムはベッドの上で座りなおした。

「本気なの？」

「本気だ。あっちへ行くことになるだろう。きみもいっしょに来てほしい」

「あたしたちのことが、奥さんにばれたら……」

「ばれることはないよ」

「なぜ、ワシントンなの？」

「いまは言えない。ただ言えるのは、そこでの生活は、ひじょうに刺激的なものになるだろうってことだ」

「あなたが愛してくれるなら、どこへでもついて行くわ」

「愛してるよ、わかってるだろう」

愛の言葉は、これまで何度もそうだったように、滑らかに口をついて出てきた。

「もう一度、愛して」

「ちょっと待って。いいものがあるんだ」

彼は立ち上がり、椅子に投げ掛けた上着のほうへ行った。ポケットから小さな瓶《びん》を取り出した。

瓶の中身をグラスに注いだ。

「これを飲んでみて」

「なんなの？」

ミリアムが訊ねた。

「きっと気に入るよ。うそは言わない」

彼はグラスを持ち上げると、半分だけ喉《のど》に流し込んだ。

ミリアムは一口試してみてから、残り全部を飲み干した。彼女はにっこりした。

「悪くないわ」

「もうじき、すごくセクシーな気分になるぞ」

「もう、すごくセクシーな気持ちよ。ベッドに来て」

二人がふたたび愛し合い始めたとき、彼女があえぎながら言った。

「あたし……あたし、気分が悪い」

そして、ハアハアと息を切らしはじめた。

「呼吸が……できない」

女の目は閉じていた。

「ミリアム！」

返事はなかった。女はベッドの上でぐったりとなっていた。

「ミリアム！」

彼女は意識をなくしていた。

「畜生！　おれに恨みでもあるのか？」

彼は立ち上がって、部屋の中を行ったり来たりした。これまで十数人の女にこの液体を飲ませたが、こんなことはなかった。だれも害を受けたものはいなかった。用心しなくては。これをうまく処理しないと、なにもかもがおじゃんになる。彼の夢が、そして、これまでやってきたことが、すべておしまいになる。そんなことになってたまるか。彼はベッドの脇に立って、彼女を見下ろした。脈をとってみる。まだ脈はあった。ありがたい！

だが、このマンションで彼女が発見されるのはまずい。追跡されれば、彼のところまでたどり着くはずだ。どこかに見つかるように置いて、病院の手当を受けられるようにしなければ。

ほぼ三〇分かけて、彼女に衣服を着せると、室内から女の痕跡《こんせき》を消した。ドアをちょっと開けて、入口に人がいないのを確かめた。女を肩に担ぎ上げると、すばやく下に運んで車に入れた。

深夜のため、道路には人気《ひとけ》がなかった。雨が降り出していた。車でジュニパー・ヒル公園まで行く。だれもいないのを見定めると、ミリアムを車から出し、公園のベンチにそっと横に寝かせた。置き去りにするのは気がとがめたが、仕方がなかった。ほかに方法はない。彼のすべての未来が、危機に瀕《ひん》していた。

少し先に公衆電話のボックスがあった。彼はそこに急ぎ、九一一番をダイヤルした。

オリバーが帰ってきたとき、ジャンはまだ起きて待っていた。

「真夜中過ぎよ」

彼女が言った。

「どうして、こんなに……」

「悪かった、ダーリン。予算に関するくだらない話し合いが、長々と続いてね。みんなが違う意見を言い出すもんだから」

「顔色が悪いわ」

ジャンが言った。

「疲労困憊《こんぱい》のようね」

「うん、いささか疲れたよ」

彼は認めた。

彼女は誘いかけるように、笑顔をつくって言った。

「ベッドへ行きましょう」

彼は妻の額にキスをした。

「ぼくは少し睡眠が必要なようだ。会議で、すっかりへばってしまったよ」


その記事は、つぎの朝、ステート・ジャーナル紙の一面に出ていた。

《知事の秘書、公園で意識不明で見つかる。警察は不審な通報者を捜査中。——きょう午前二時、警察は何者かの電話通報により、意識不明の女性を公園で発見した。彼女は雨のなか、ベンチで横たわっていた。救急車で記念病院に運ばれたが、重体のもようである。彼女の身元は、知事の秘書、ミリアム・フリードランドと判明した》

オリバーが執務室でこの記事を読んでいると、ピーターが新聞を手に、急ぎ足で入ってきた。

「これを見ましたか?」

「ああ。実に……ひどいもんだ。朝からずっと、各新聞から電話が入ってきている」

「いったいなにが起きたと思います?」

テイガーが訊ねた。

オリバーは首を横に振った。

「わからない。いま、病院と話したところだ。彼女は昏睡《こんすい》状態らしい。病院は原因を調べている。わかりしだい、知らせてくれることになっている」

テイガーはオリバーを見た。

「回復してくれればいいですね」

レスリー・スチュアートはこの新聞記事を読みそこなった。彼女はブラジルに出張中だった。テレビ局を買収するためだった。


病院からの電話は、翌日かかってきた。

「知事、検査結果がただいまわかりました。彼女の体内にあった物質は、メチレン・ジオキシ・メタンフェタミンというものでした。一般には、『エクスタシー』という商品名で知られているものです。彼女はこの液体を飲んだようです。液体で摂取すると、致死性は高くなります」

「容態は？」

「残念ながら危険な状態です。昏睡状態ですが、このまま目が覚めないと……」

医者はつぎの言葉をためらった。

「……良くない結果になりそうです」

「なにかあったら連絡してください」

「もちろんです。ご心配でしょう、知事」

「心配です」


オリバー・ラッセルが会議を主催しているところへ、秘書が電話をよこした。

「知事、失礼します。お電話が入っています」

「ヘザー、会議中は邪魔をしないようにと言っておいたはずだよ」

「デービス上院議員からです。三番の電話です」

「おお」

オリバーは部屋に集まっていた人たちに言った。

「諸君、この件については、のちほど改めて話し合います。ちょっと用ができたので……」

人々が部屋を出て、ドアが閉まったのを見届けると、彼は電話を取り上げた。

「トッド？」

「オリバー、この記事はなんだね？　あんたの秘書が公園のベンチで、薬物中毒で発見されたという記事だよ」

「そうなんです」

オリバーは答えた。

「恐ろしいことです、トッド。ぼくは……」

「どんなふうに、恐ろしいのかね？」

デービス上院議員はぴしゃりと言った。

「どういう意味です？」

「どういう意味か、あんたがいちばんよくわかっているだろう」

「トッド、まさか、あなたはぼくが……誓って言いますが、ぼくはこの事件のことはなにも知りません」

「そうだといいが」

上院議員の声は険しかった。

「わかってるだろうが、オリバー、ワシントンでは噂が広がるのが早い。ここはアメリカでもっとも狭い町なんだから。なにごとであれ、あんたがマイナス要因と結びつけられては困るんだ。われわれはすでに動き出そうとしているんだからね。あんたがなにか愚かなことをすれば、わしはこのうえなく迷惑する」

「断言します。ぼくは潔白です」

「その方向で、間違いなくやってくれ」

「もちろん、そうします。ぼくは……」

電話は切れた。

オリバーはその姿勢のまま、考えていた。

〈これまで以上に用心しなくてはいけないな。もう、いまとなっては、どんなことだってぼくを止めることはできないぞ〉

彼はちらっと時計を見ると、リモコンに手を伸ばし、テレビをつけた。画面はニュースを伝えていた。戦争で破壊された街路が映り、建物の陰からは狙撃兵《そげきへい》がときおり銃を発射していた。迫撃砲の響きが画面の背景から聞こえた。

戦闘服を着て、マイクを持った若い魅力的な女性レポーターがしゃべっていた。

「新たな協定は、今夜一二時に発効することになっています。しかし、仮にそれが効力を持つにしても、この戦争で疲弊した国に、平和な村や町が戻ることはありません。恐怖のうちに、情け容赦なく殺された罪のない人々の命を、もとに戻すことはできないのです」

画面が変わって、防弾服に戦闘用ブーツを付けたダナ・エバンズのクローズアップになった。情熱的で、愛らしい、若い女性だ。

「ここの人たちは、空腹で疲れきっています。彼らが求めるものはただ一つ……平和です。それはいつ訪れるのでしょうか？　ただ時を待つしかありません。サラエボから、ＷＴＥ、ワシントン・トリビューン・エンタープライズのダナ・エバンズがお伝えしました」

画面は暗転して、コマーシャルになった。

ダナ・エバンズはワシントン・トリビューン・エンタープライズ社放送部門の海外特派員だった。彼女のレポートするニュースは毎日登場した。オリバーはその放送を見逃さないようにしていた。彼女はテレビのレポーターとして、もっともすぐれた何人かに入っていた。

〈すてきな女性だ〉

オリバーは、これまでいつもそう思っていた。

〈あんなに若くて魅力的な女性が、実弾が飛び交う真っただ中に出て行くなんて、そんなとんでもないことをどうして望んだのだろう？〉

第七章

ダナ・エバンズは陸軍っ子だった。基地から基地へと、装備の指導をして歩く大佐の娘だった。一一歳になるまで、住んだところは国内では五都市、海外では四カ国におよんだ。両親に連れられて、メリーランド州のアバディーン実験場、ジョージア州フォート・ベニング、テキサス州フォート・フッド、カンザス州フォート・リーベンワース、ニュージャージー州フォート・モンマスと転々とした。そして、日本の座間基地、ドイツのキームゼー、イタリアのダービー基地、プエルトリコのフォート・ブキャナンで、米軍将校の子どもたちが通う学校で学んだ。

ダナは一人っ子だった。友だちといえば、いろいろな部隊に配属された陸軍関係者とその家族だった。ダナはおませで明るい、外向的な少女だったが、母親はわが子が普通の子供時代を過ごしていないことを気にかけていた。

「ダナ、六カ月ごとの引っ越し生活は、とてもつらいでしょう。わかってるわ」

母はそう言った。

「どうして？」

ダナは不思議そうに母の顔を見た。

ダナは、父が新しい任地に配属されるたびに、わくわくしながら、「また引っ越すのね」と叫んだものだった。引っ越しつづきの生活が大好きだったのだ。

でも、残念ながら、母親は気に入ってなかったようだ。

ダナが一三歳のとき、母が言った。

「ジプシーのような生活にはもう耐えられない。離婚するわ」

このニュースを聞いたとき、ダナは非常に大きなショックを受けた。

ショックの理由は、離婚ではなかった。もう父親といっしょに世界を旅行することはできないのだ、という事実であった。

「これからは、どこに住むの？」

ダナは母に訊ねた。

「カリフォルニアのクレアモントよ。わたしが育った町。小さな、美しい町よ。あなたもきっと好きになるわ」

クレアモントは小さな、美しい町、という母の言葉は正しかった。しかし、ダナも好きになる、というのは間違っていた。クレアモントはロサンゼルス郡のサンガブリエル山系の麓《ふもと》にある、人口たった三万三〇〇〇人の町だった。道の両側には美しい並木が続き、趣《おもむき》のある大学町の雰囲気があった。

しかし、ダナは嫌でしょうがなかった。世界を股《また》にかけて暮らしてきた自分が、こんな小さな町でこの先を過ごさなくてはならない。彼女の人生の変化は、深刻なカルチャーショックを彼女にもたらした。

「これからずっとここに住むつもりなの？」

ダナは憂鬱《ゆううつ》な表情で訊ねた。

「どうして？」

「この町は小さすぎるわ。わたしはもっと大きな町じゃないとだめなの」

登校第一日目、ダナは沈んだ顔をして帰ってきた。

「どうかしたの？　学校が嫌いなの？」

ダナはため息をついた。

「いいんだけど、ガキばっかりなのよ」

母親は笑った。そして、見当違いのなぐさめ方をした。

「そのうち、大きくなるわよ。あなたもね」

ダナはクレアモント高校へ通い、学校新聞「狼の群れ《ウルフ・パケット》」の記者になった。新聞の仕事は気に入ったが、旅の生活が懐かしくてたまらなかった。

「大人になったら」

とダナは言った。

「また、世界中を旅行するんだ」


一八歳になると、ダナはクレアモント・マッキナ・カレッジに入学し、ジャーナリズム学科を専攻した。大学新聞「ザ・フォーラム」の記者となり、翌年には編集長に任命された。

学生たちは、ダナのところへひっきりなしに頼みごとにやってきた。

「ダナ、来週、うちのクラブがダンスを主催するの。新聞に書いてね」

「火曜日に弁論部が集会を開くから……」

「演劇部がやる舞台の劇評を、載せてくれないか？」

「新しい図書館のために、募金運動が必要なの。新聞で……」

きりがなかった。でも、ダナにはこの仕事がとても楽しかった。人助けができる立場にある。これは気に入った。四年生になったとき、自分は新聞記者として身を立てようと決心した。

「記者になれば、世界中の重要人物をインタビューできるわ」

ダナは母に言った。

「それは、歴史をつくる手助けのようなものだわ」

思春期のころ、ダナは鏡に写る自分を見るたびに、気がめいった。

〈背は低すぎるし、身体はガリガリ。おまけに胸はぺしゃんこ〉

カリフォルニアの女性は、まるでなにかの法則にしたがっているかのように、だれもかれもが、ものすごく美しかった。

〈わたしは白鳥の国に住む醜いあひるの子だわ〉

彼女は極力、鏡を見ないことにした。

もしダナが鏡を見ていれば、一四歳のときには、花が咲きかけた肉体を見ただろう。一六歳のときには、すでに非常に魅力的な女性になっていた。一七歳になると、少年たちは本気でダナを追いかけだした。情熱的なハート型の顔、問いかけるような大きな瞳、かわいくて挑戦的なハスキーボイスの笑い。ダナにはえもいわれぬ魅力がそなわっていた。

ダナは一二歳のときから、処女喪失に憧れを抱いていた。どこか遠い南の島、美しい月の輝く夜、波がやさしく浜辺で遊んでいる。バックで奏でられる静かな音楽。ハンサムで洗練された男性が、ダナのそばに近づいてくる。彼は心の奥底まで見透すように、ダナの目をじっと見つめる。

そして、黙ってダナを抱き寄せて腕に抱えると、近くの椰子《やし》の木のそばへ連れてゆく。二人は衣服を脱ぎ、愛の営みに身をまかす。このとき、音楽の調子はぐっと高まり、やがてクライマックスへと導かれる。

ダナが実際に処女を喪失したのは、学校のダンスパーティのあと、古いシボレーのバックシートでだった。相手は、ダナといっしょに「ザ・フォーラム」で働いていたリチャード・ドビンスという、やせた一八歳の赤毛の少年である。リチャードはダナに自分の指輪をプレゼントした。それから一カ月後、リチャードは両親とともにミルウォーキーへ引っ越していった。以来、リチャードの消息はぷっつり跡絶《とだ》えた。


ダナは大学のジャーナリズム学科を卒業する一カ月前に、記者として就職したいと考え、地元の新聞社「クレアモント・エグザミナー」を訪問した。

人事部の担当者は、ダナの履歴書を一瞥《いちべつ》して言った。

「へえ、ザ・フォーラムの編集長ねえ」

ダナは控え目に笑みを浮かべた。

「そうです」

「そうか。きみは運がいいよ。うちは現在、ちょっと手薄でね。ちょうどいい。きみに仕事をあげよう」

ダナはうれしくなって、胸がどきどきした。取材に行きたい国のリストは、すでにできていた。ロシア、中国、アフリカ……。

「最初から海外特派員になるのは、むりですよね。わかってます」

とダナは言った。

「でも、なるべく近いうちに、わたしの希望が……」

「さてと」

相手はダナに言った。

「ここでは、きみに雑用係をやってもらう。仕事は、編集局の人たちに朝のコーヒーをいれること。そう、連中は濃いコーヒーが好きだ。それから、原稿を印刷所へ持って行くこと」

ダナは唖然《あぜん》として、採用係の男の顔を見つめた。

「それはできませ……」

男は顔をしかめて、身を乗り出した。

「なにができないって？」

「お仕事をいただいて、どんなにうれしいか、それは言葉にできません」

記者たちはみんな、ダナのコーヒーを褒《ほ》めた。ダナは新聞社始まって以来、もっとも優秀な雑用係になった。毎朝早くから出勤し、だれとでも仲よくなった。いつも喜んで、手伝い仕事をした。これが出世の秘訣《ひけつ》だと思っていた。

問題は、半年たってもまだ雑用係のままでいることだった。ダナは編集局長のビル・クローウェルに会いに行った。

「わたしにも、記者としての仕事がもうできると思うんですが」

ダナは真剣に訴えた。

「もし取材をさせてくだされば、わたしは……」

編集局長は顔も上げなかった。

「記者の空きはまだない。それはそうと、ぼくのコーヒー、ぬるいよ」

〈こんなやり方ってないわ〉

ダナは思った。

〈チャンスを一度もくれないなんて〉

以前どこかで、いい言葉を聞いたことがあった。「途中でゆらぐような決心なら、するな」というものだった。

〈いいえ、わたしの決心は、絶対に変わらないから〉

ダナは思った。

〈絶対によ……でも、どうやって突破口を開けばいいのかしら〉


ある朝、ダナは熱いコーヒーを持って、テレタイプを据えた部屋の中を歩いていた。部屋にはだれもいなかった。

テレタイプは警察からの情報をプリント中だった。好奇心にかられたダナは、機械のそばに近寄った。プリントされて出てくる紙を取り上げてみた。

《AP通信――カリフォルニア州クレアモント市発。けさ、クレアモント市内で誘拐未遂事件が発生した。六歳の少年が見知らぬ男に呼び止められ……》

ダナは驚いて、それを最後まで読んだ。それからひと息深く入れると、プリントされたこの部分をコンピュータから切り離して、ポケットにしまった。だれも見ていなかった。

ダナは息せききってビル・クローウェルの部屋へ駆けつけた。

「編集局長、けさクレアモント市内で、だれかが男の子を誘拐しようとしました。子馬に乗せてやるといったそうです。子どもが、先にキャンディがほしいというので、男はお菓子屋さんに連れていったんですが、お店の主人は子どもの知り合いだったんですって。主人が警察に通報したので、誘拐犯は逃亡しました」

ビル・クローウェルは色めきたった。

「そんな情報はなにも入ってきてなかったぞ。その話、どこから聞き込んだ？」

「あのう、偶然その店へ行ったら、みんながその話をしていて……」

「いますぐ、記者をそこへ行かせる」

「わたしにやらせてもらえませんか」

と即座にダナは言った。

「お店の主人は、わたしの顔見知りです。わたしになら話してくれます」

編集局長は、一瞬ダナの顔をじろっと見やり、しぶしぶ答えた。

「いいだろう」

ダナは菓子屋の主人からインタビューをとることができた。翌日、その記事はクレアモント・エグザミナーの一面を飾った。好評だった。

「まあまあだ」

編集局長はダナに言った。

「いや、実際、悪くない出来映えだよ」

「ありがとうございます」

ダナがふたたびテレタイプ室で一人っきりになったのは、およそ一週間後だった。ＡＰから通信が入ってきていた。

《カリフォルニア州ポモナ市発。女性柔道教師、レイプ未遂犯を捕まえる》

〈これだわ〉

ダナは心を決めた。プリントをちぎり取り、まるめてポケットに突っ込むと、ビル・クローウェルの部屋へと急いだ。

「いま、昔のルームメイトから電話がありました」

ダナは興奮した声で告げた。

「窓から外を見ていたら、女性がレイプ未遂犯をやっつけるところを目撃したんだそうです。ぜひ、取材させてください」

クローウェルは一瞬、ダナを見すえた。

「行ってこい」

ダナはポモナへ車を飛ばし、柔道教師のインタビューをとった。ダナの記事は、またもや一面を飾った。

ビル・クローウェルがダナに、部屋に来てくれと言った。

「きみも担当地域を持ったらどうかね」

ダナの心臓は早鐘を打った。

「うれしいわ！」

〈いよいよ、スタートだ〉

とダナは思った。

〈やっと、わたしの生涯をかける仕事がスタートするんだわ〉

翌日、クレアモント・エグザミナー紙は、首都ワシントンＤＣのワシントン・トリビューンに買収された。


クレアモント・エグザミナーの買収のニュースを聞いて、従業員たちはみな愕然《がくぜん》としていた。今後は経営合理化が避けられないだろうし、失業する者も出るはずだ。

ダナはそうは考えなかった。

〈わたしはいまから、ワシントン・トリビューンで働くことになるのね〉

そう考えた。すると必然的に、つぎのような考えが頭に浮かんだ。

〈どうせ働くなら、本社で働くほうがいいんじゃない？〉

ダナはビル・クローウェルのオフィスへ突進した。

「局長、一〇日間、休みをください」

クローウェルは興味津々の表情でダナを見やった。

「ダナ、いま、うちのほとんどの連中が、留守をしたら自分の机がなくなってるんじゃないかと戦々恐々で、トイレにさえ行けないでいる状態なんだぜ。きみは、心配じゃないのかい?」

「なぜ心配しなくてはいけないの。わたしは、この会社でいちばん優秀な記者なんですよ」

ダナは自信たっぷりに答え、こう続けた。

「わたしは、ワシントン・トリビューンに就職するつもりです」

「本気かね?」

クローウェルはダナの顔を見つめた。それから、ため息をもらして、

「本気だな」

とつぶやいた。

彼が言った。

「いいだろう。できれば、マット・ベーカーに会うといい。彼はワシントン・トリビューン・エンタープライズ社の編集局長、つまり、新聞、テレビ、ラジオなど、全体を統括している中心人物だよ」

第八章

ワシントンDCは、ダナが想像していたよりも、はるかに大きな都市だった。ここは世界の発電所なんだ。そう思うと、ダナは首都ワシントンの空気のなかにピリピリした電気を感じた。

〈この町は、わたしにぴったりだわ〉

ダナはうれしかった。

まず、ストウファー・コンコース・ホテルに部屋をとった。それから、ワシントン・トリビューン社の住所を調べて、そこに向かった。トリビューン社は六番通りにあり、一ブロック全部を占有していた。四つのビルは無限に大きく見えた。やっと正面ロビーを見つけると、ダナは大胆な足取りで、制服を着た守衛のデスクへと進んでいった。

「なにかご用ですか?」

「わたしはここで働いている者です。つまり、トリビューン社の従業員よ。マット・ベーカーさんに会いに来ました」

「アポイントメントは？」

ダナはたじろいだ。

「まだですけど……」

「アポをとってから、またおいでなさい」

言い終えると、守衛はもう、デスクに寄ってきたほかの客たちのほうに顔を向けていた。

「販売局長と会う約束があるんですが」

訪問客の一人が言った。

「ちょっとお待ちください」

守衛は電話番号をまわした。

背後では、エレベーターの中の一基がドアを開き、人々を外へと吐き出していた。ダナはさりげなくエレベーターのほうに進んでいった。エレベーターの中に入った。守衛が気づかないうちに上がってくれますように。後から女性が一人乗ってきて、ボタンを押した。エレベーターは上昇しはじめた。

「すみませんが」

とダナが声をかけた。

「マット・ベーカーさんは、何階ですか？」

「三階よ」

女性はそう言ってダナを見やった。

「通行証をつけてないわね」

「なくしたんです」

とダナは答えた。

三階でエレベーターを降りた。目の前に広がるあまりにも大きな部屋の光景に、ダナは言葉を失い、呆然《ぼうぜん》と立ちすくんだ。方形の間仕切りが海のように広がっているのを見つめた。何百もの間仕切りに、何千もの人々がいるように見えた。間仕切りされたオフィスごとに、色分けされた札が掛かっていた。編集、美術、首都圏、スポーツ、行事予定……。

そばを急ぎ足で通りかかる男がいた。ダナは彼をつかまえて訊ねた。

「すみませんが、ベーカーさんのオフィスはどこですか？」

「マット・ベーカー？」

男は指をさして教えてくれた。

「廊下の突き当たりを右に曲がって、いちばん奥の部屋だ」

「ありがとうございます」

身をひるがえしたとき、ダナは紙の束を抱えた、不精髭《ぶしょうひげ》のだらしない服装をした男とぶつかった。紙が床に散乱した。

「あら、すみません。あの……」

「やい！　自分の行き先ぐらい、ちゃんと見てろ」

男は鋭く言い返すと、身をかがめて紙を拾い集めにかかった。

「はずみだったんです。あの、お手伝いします。わたし……」

ダナも身をかがめた。紙を拾いはじめたが、また男とぶつかってしまい、せっかく彼の手に戻っていた紙が、何枚か机の下に入り込んでしまった。

男は手をとめて、ダナをにらみつけた。

「お願いだ。もう手伝うのはよしてくれ」

「お好きなように」

ダナは冷たく言い放った。

「ワシントンの人たちが、みんなあなたのように不作法でなければいいんですけどね」

ダナは威厳を保って立ち上がると、ベーカーのオフィスに向かって歩き始めた。ガラスの間仕切りに、〝マット・ベーカー〟という名札があった。部屋にはだれもいなかった。ダナは中に入って椅子に座った。部屋の窓からは、人々の慌ただしい活動ぶりが見えた。

〈クレアモント・エグザミナーとは雲泥の差だわ〉

とダナは思った。

〈ここでは何千という人が働いているんだ〉

廊下の向こうから、さっきのだらしない服装をした男が、不機嫌そうに歩いてきた。

〈しまった〉

とダナは思った。

〈まさかここに来るんじゃないでしょうね。どこかほかへ行くのよ、きっと……〉

男は部屋の中に入ってきた。彼は険しい目つきで言った。

「いったい、ここで何をしてるんだ！」

ダナは唾《つば》を飲み込んだ。

「ベーカーさんですね」

明るい声を出して彼女は言った。

「ダナ・エバンズです」

「ここで何をしてるかと聞いてるんだ！」

「わたしはクレアモント・エグザミナーの記者です」

「それで？」

「あなたがたが買い取ったばかりの新聞です」

「ぼくらが買い取った？」

「つまり……その……新聞社が買いました。新聞社が新聞社を買い取りました」

これはまずい、とダナは思った。

「とにかくですね、わたしがここに来たのは仕事のためです。もちろん、ここはすでにわたしの職場です。いわば、転勤のようなものですね。そうでしょう？」

ベーカーはダナを見つめていた。

「仕事は、いますぐでも始められます」

ダナはべらべらと続けた。

「全然、問題ありません」

マット・ベーカーは机のほうに進んだ。

「いったいだれが、ここへよこしたんだ」

「申し上げましたように、わたしはクレアモント・エグザミナーの記者で……」

「クレアモントへ帰りなさい」

きびしい口調で、ベーカーが言った。

「帰り道で、人にぶつからないよう、気をつけるんだな」

ダナは立ち上がると、

「ベーカーさん、どうもありがとうございました。ご親切に感謝します」

と、こわばった声で挨拶《あいさつ》し、部屋を飛び出した。

マット・ベーカーはその後ろ姿を見送りながら、頭を振った。

〈まったく、この世は変なやつばっかりだ〉

ダナはさっき来た通路を戻り、だだっぴろい編集局へと進んだ。何十人もの記者がワープロに記事を打ち込んでいた。

〈わたしが働く場所は、ここ以外にないわ〉

ダナは真剣に考えた。

〈クレアモントへ帰れなんて、よくも言ったわね〉

目をあげると、遠くにマット・ベーカーの姿があった。こっちへやって来る。どこへ行っても、あいつがいる！　ダナは目につかないように、すばやく間仕切りのなかに身を滑り込ませた。ベーカーはダナのそばを通り過ぎて、机に向かっている記者のほうに行った。

「サム、インタビューはとれたか？」

「だめでした。ジョージタウン医療センターへ行きましたが、その名前で登録されている患者はいないというんです。トリップ・テーラーの女房は入院してませんよ」

マット・ベーカーが言った。

「いや、絶対にいる。わかってるんだ。畜生！　やつらは隠してるんだよ。どうして入院しているのか、そのわけが知りたい」

「マット、もしいるとしても、彼女に会える手だてはないですよ」

「花を届けるという手は、使ってみたか」

「もちろん。でも、だめでした」

ダナは、マット・ベーカーと記者が歩きながら遠ざかるのを見ていた。

〈あれでも、記者のつもり？〉

とダナは思った。

〈インタビューの取り方も知らないなんて〉

三〇分後、ダナはジョージタウン医療センターへ入っていった。

まず、花屋に向かった。

「いらっしゃいませ」

店員が言った。

「あの」

と一瞬ためらってから、

「お花を五〇ドル分ください」

と告げた。五〇という数字を口にするとき、喉が詰まりそうになった。

店員から花束を受け取りながら、ダナが訊ねた。

「この病院のなかに、小さいキャップなんか売ってる帽子屋さんがないかしら」

「あの角のギフトショップに行ってみたら？」

「ありがとう」

ギフトショップはがらくたの宝庫だった。おびただしい数の各種カード、安物の玩具、ゴム風船と旗、インスタント食品の棚、そしてけばけばしい衣料品などであふれていた。棚の上に土産用の縁なし帽子がいくつか並んでいた。

ダナは運転手の帽子に似たのを買い、頭にかぶってみた。さらに、お見舞いカードを買って、ちょっと書き込んだ。

用意がととのったところで、ダナは病院ロビーの受付に歩を進めた。

「トリップ・テーラー夫人にお花をお持ちしました」

受付係は首を横に振った。

「トリップ・テーラー夫人という方は、入院されておりません」

ダナはため息をついてみせた。

「本当ですか。残念だわ。これ、アメリカ合衆国副大統領からのお見舞いなのに」

ダナはカードを開いて、受付嬢に中を見せた。「早く良くなってください」と書かれていて、「アーサー・キャノン副大統領」という署名があった。

「じゃあ、花は持って帰らないといけないわけね」

ダナはそう言うと、出口に向かうために背を向けた。

受付嬢はもじもじしながらダナの背中を見ていたが、やがて意を決したように、

「ちょっと待って」

と呼んだ。

ダナは立ち止まった。

「なに？」

「お花を届けさせましょう」

「すみませんが」

とダナが言った。

「副大統領からは、自分で届けるようにと言われました」

ダナは受付嬢をじっと見すえて言った。

「あなたのお名前を伺っていいかしら。副大統領の命令を阻止した人物の名前を、報告しなきゃならないでしょ」

パニック発生。

「そう。じゃあ、いいわ。問題を起こしたくないの。お花を六一五号室へ届けてちょうだい。でも、届けたらすぐ出て行ってよ」

「わかったわ」

とダナは答えた。

五分後、ダナは有名ロック・スター、トリップ・テーラーの妻と話していた。

ステイシー・テーラーは二〇代半ばだった。魅力的な女性かどうか、その判断は難しかった。というのも、女の顔は、目下、ひどい打撲傷で腫《は》れあがっていたからだ。ダナが部屋に入ったとき、彼女は手をのばし、ベッドのわきのテーブルから、水の入ったコップをとろうとしていた。

「お花をお届けに……」

言いながら女の顔を見たとたん、ダナはショックのあまり言葉を失った。

「だれがよこしたの?」

言葉は低く、くぐもっていた。

ダナはカードをはずした。

「えーと、ファンからです」

女はダナを疑惑の眼差しで見つめた。

「お水を、とってくれない?」

「はい、ただいま」

ダナは花を置くと、水の入ったコップを、ベッドの女に手渡した。

「ほかになにかご用はありませんか?」

とダナが訊ねた。

「あるわ」

女が腫《は》れあがった唇を動かした。

「この豚小屋から、わたしを連れ出してほしいわね。夫はここに、だれも来させないのよ。もうこれ以上、医者や看護婦の顔を見つづけるのはうんざりだわ」

ダナはベッドのそばの椅子に腰をおろした。

「どうなさったんです？」

女はせせら笑った。

「あら、知らないの？　交通事故に遭《あ》ったのよ」

「事故ですって？」

「そう」

「まあ、それは大変でしたね」

ダナは疑い深そうに言った。

明らかに、女の傷はぶたれた痕《あと》である。ダナは怒りで身体がほてってきた。

一時間もすると、ダナは真実の話を手に入れて、女の病室を出た。


ダナはワシントン・トリビューンのロビーに戻った。守衛が交替していた。

「なにかご用ですか？」

「わたしのせいじゃないわ」

ダナは荒い息を吐きながら言った。

「本当よ。いまいましい交通渋滞のせいよ。いま部屋に行くところだと、ベーカーさんに伝えてちょうだい。遅れちゃったから、きっとお目玉をくうわ」

そう言ってエレベーターに急ぎ、呼びボタンを押した。

守衛は戸惑った様子でダナを見送り、ダイヤルを回した。

「もしもし、ベーカーさんに、若い女性が……」

エレベーターが降りて来た。ダナは中に入り、三階を押した。

三階はさっきも忙しそうだったが、いまはますます慌ただしさを増したように見える。ダナはその場に佇《たたず》んだまま、必死であたりを見まわした。

ついに望んでいたものを見つけた。空いた机が一つ、「園芸」という緑色の札が下がっている間仕切りの中にあったのだ。ダナは急いでそこに行って座ると、目の前のワープロに向かって原稿を打ち始めた。記事を書くのに熱中して、時間のことは忘れていた。書き終わって印刷のところを押した。プリントされたページが一枚ずつ出てきた。ページを束ねているとき、肩ごしにだれかがのぞき込んでいる気配を感じた。

「きみはいったい、なにをしているんだ？」

マット・ベーカーだった。

「ベーカーさん、仕事を探しています。わたし、この原稿を書きました。わたしは……」

「きみは間違っとる」

ベーカーが怒鳴った。

「のこのこ入ってきて、人の机を乗っ取ったりして。許さん。いますぐ出て行け。警備員を呼んで、きみを逮捕させるぞ」

「でも……」

「出て行け！」

ダナは立ち上がった。自尊心を奮い起こし堂々とした態度で、束ねた原稿をマット・ベーカーの手の中に押し込んだ。それから角を曲がって、エレベーターのほうへと向かった。

マット・ベーカーは、信じられないというふうに、頭を振った。

〈まったくひどい。世の中、どうなってるんだ〉

机の下にごみ箱があった。マットはごみ箱に近づきながら、ダナの原稿の一行目にちらっと目をやった。

《きょう、ステイシー・テーラーさんは、病室のベッドの上で、有名なロック・スターの夫、トリップ・テーラーに虐待を受けたと語った。ひどく殴られ、青く腫れあがった痛々しい顔で、夫人はこう話した。「妊娠するたびに、トリップはわたしをぶつのよ。あの人は子どもが欲しくないの

よ」》

マットはその場に釘《くぎ》づけになったまま、先へ先へと読み進んだ。目を上げると、ダナの姿は視界から消えていた。

原稿を持ったまま、マットはエレベーターのほうに走った。彼女が消えないうちに見つけなければ、と思った。角を曲がったとき、だれか女性とぶつかりそうになった。ダナが壁を背にして、待っていた。

「どうやって、この話を手に入れたんだい？」

マットが訊ねた。

ダナは、短く答えた。

「だから言ったでしょう。わたしは記者だって」

マットは大きく息をついた。

「ぼくのオフィスに来なさい」

ふたたびダナは、マット・ベーカーの部屋に座っていた。

「よく書けている」

マットはしぶしぶ認めた。

「ありがとうございます。どんなにうれしいか、とても言葉にできません」

ダナは興奮していた。

「ここでいちばん優秀な記者になってみせます。見ていてください。わたし、ほんとうは海外特派員になりたいんです。でも、下積みから始めて徐々にそうなればいいんです。たとえ一年かかっても」

その言葉の途中で、ダナはマットの顔に浮かんだ表情を見てとった。

「いいえ、たぶん、二年かかるでしょうが、それでも……」

「いま、トリビューンには、記者の空きはない。空席待ちの記者のリストはあるがね」

ダナは驚いてマットの顔を見つめた。

「でも、あると仮定して……」

「ちょっと、待った」

ベーカーはダナの見ている前でペンをとった。〈仮定〉という文字を書いた。それを指さしながら、彼は言った。

「エバンズくん。記者が仮定をするとだね、きみやぼく、つまり新聞社が恥をかく目に遭《あ》うんだよ。記者は仮定して書くんじゃない。あくまで、事実だけを書くんだ。この違いが、きみにわかるかね？」

「はい、わかります」

「よろしい」

ベーカーは一瞬考えてから、決断を下した。

「WTE放送を見たことがあるかい？　トリビューン社のテレビ局なんだが」

「いいえ、見たことは……」

「じゃあ、これから見ることになるだろう。きみはツイてる。実は、局のほうで人を探してたんだ。最近、ライターが一人辞めたもんでね。きみはその後釜《あとがま》に入ればいい」

「なにをするんですか？」

ダナはためらいがちに訊ねた。

「ニュース番組の台本づくりだよ」

ダナは落ち込んだ顔つきになった。

「テレビの台本づくりなんて、わたし、経験ありませんけど」

「簡単さ。ニュース番組のプロデューサーが、通信社から送ってきた生ネタをきみに渡す。きみはそれをもとに台本に書き直して、テレプロンプターに入れるだけさ」

「テレプロンプターって？」

「テレビ用のプロンプター。芝居のそれとは違って、テレビのほうは機械にセリフを映し出すんだがね。キャスターはその台本を読むわけだ」

ダナは黙ってしまった。

「どうした？」

「なんでもありません。ただ、ちょっと……わたしは、記者なんです」

「わが社には記者は五〇〇人もいる。みんな何年もかかって実績を積んできたベテランばかりだ。さあ、四号ビルに行ってホーキンズさんに会いたまえ。最初の仕事として、テレビは悪くないよ」

ダナはため息をついた。

「わかりました、ベーカーさん。ありがとうございました。いつかわたしで、お役に立つときが来たら……」

「さっさと、行くんだ」


WTEテレビ局は、四号ビルの六階全部を占めていた。夜のニュース番組のプロデューサー、トム・ホーキンズは、ダナを自分のオフィスに案内した。

「テレビ局で働いたことはあるの？」

「いいえ、ありません。新聞社で働いていました」

「ありゃあ、恐竜だ。新聞なんか、過去の遺物だよ。われわれこそ現在だ。未来は？　へっ、だれが知るもんか。さてと。局内を案内しとこう」

デスクとモニターのところで、大勢の人たちが働いていた。六つの通信社から送られてくる情報が、コンピュータの画面に表示されていた。

「世界中からここへ、さまざまなニュースや情報のネタが送られてくる」

とホーキンズは説明した。

「どのネタを使うかは、ぼくが決める。それからデスクが取材班を現場に派遣する。現場から、うちのレポーターがマイクロ波や送信機で記事を送ってくる。通信社のサービス以外に、一六〇の警察チャンネル、記者たちの携帯電話、スキャナー、モニターなどから、情報がここに送られてくるんだ。台本の構成は全部、秒刻みだ。ライターはテープ編集者と共同で作業をする。タイミングを合わせなくちゃならんからな。通常、ニュースの持ち時間は平均一分半から一分四五秒」

「ここにライターは何人いるんですか？」

ダナが訊ねた。

「六人。そのほかに、ビデオ・コーディネーター、ニューステープ編集者、プロデューサー、キャスター……」

ホーキンズがおしゃべりをやめた。男と女が近づいてきた。

「キャスターのジュリア・ブリンクマンとマイケル・テートを紹介しよう」

ジュリア・ブリンクマンは、栗色の髪を持つとびきりの美人だった。色つきのコンタクト・レンズのせいで、瞳《ひとみ》は鮮やかなグリーン色をしていて、口もとには訓練の行き届いた開放的な微笑をたたえていた。マイケル・テートは、あふれんばかりの優しい笑みを浮かべた、スポーツ選手のような顔つきで、社交的な男だった。

「新しいライターだ」

ホーキンズが紹介した。

「ドナ・エバンストンさん」

「ダナ・エバンズです」

「どっちだっていいさ。さあ、仕事、仕事」

ホーキンズは、ダナを自分の部屋に連れていった。壁にはった掲示板のほうに、ダナの注意をうながした。

「ここに表示されているのが、ネタだ。この中からぼくが選び出す。そいつを、スラグと呼んでいる。タイトルのことだな。オンエアされるのは日に二回だ。昼のニュースは一二時から一時、夜のニュースが一〇時から一一時。どのネタを使うか、ぼくが決めたら、きみがそれを台本にまとめる。視聴者がチャンネルを換えられないほど、わくわくする内容にしろよ。テープ編集者がビデオ映像を流すから、きみはそれに基づいて台本を書き、映像がはいる位置を記入する。わかったね」

「はい」

「ときどき、スクープが入ることがある。そのときは、レギュラー番組をカットして、スクープを生中継で流すんだ」

「おもしろいですね」

ダナは言った。

いつの日か、その生中継のおかげで命が救われることになろうとは、ダナはまだ、知るよしもなかった。


初日の番組は大失敗だった。ニュースの頭に置くべきリードを真ん中に置いたため、ジュリア・ブリンクマンはマイケル・テートの台本を読むはめになり、一方、マイケルはジュリアの台本を読んでしまった。

放送が終了したとき、ディレクターがダナに言った。

「ホーキンズさんが部屋に来てくれって。いますぐにだ」

ホーキンズは暗い顔をして机の向こう側に座っていた。

「わかっています」

悔恨の念を顔いっぱいにあらわして、ダナが言った。

「テレビ界始まって以来の最低の出来でした。みんな、わたしのせいです」

ホーキンズは座ったまま、ダナの顔を見ていた。

ダナはまた言った。

「でも、トム。うれしいのは、これからは良くなるしかない、ということですよ。そうじゃなくて？」

　ホーキンズは目をすえたままだった。

「それに、二度とこのようなことは起きません。なぜなら……」

　ダナは、ホーキンズの顔に浮かんだ表情を読んだ。

「なぜなら、わたしはクビになるから」

「違う」

　ホーキンズは強い口調で言った。

「それじゃ、きみを楽にしてやるようなもんだ。間違いなくできるようになるまで、この仕事を続けろ。ということは、明日の正午のニュースだ。ぼくの言ってることが、ちゃんとわかるか？」

「ちゃんとわかります」

「よろしい。あす朝八時、この部屋に出てくるんだ」

「トム、わかりました」

「これからは、ぼくらはいっしょに働く……だから、ぼくを呼ぶときは、ホーキンズさんというように」

　翌日の正午のニュースは順調にいった。ダナは、トム・ホーキンズは正しかったと納得した。こつは、リズムに慣れることだ。ネタを指定される……台本を書く……テープ編集者と作業をする……キャスターが読めるようにテレプロンプターにセットする。

それからは、これが日課になった。


ＷＴＥで働き始めてから八カ月目、ついにダナは幸運をつかんだ。九時四五分、テレプロンプターに夜のニュース番組をセットし終えて、帰宅しようとしていた。「お先に」の挨拶をしておこうと思ってテレビスタジオに入って行くと、そこは大混乱の真っただ中だった。だれもかれも、同時にしゃべっていた。

ディレクターのボブ・クラインが大声で叫んでいた。

「いったいぜんたい、彼女はどこにいるんだ？」

「それが、わからないんです」

「だれか見たものはいないのか？」

「だれも、見ていません」

「アパートに電話は入れたのか？」

「留守番電話になってました」

「なんたることだ。まもなくオンエアの時間だ……」

クラインは自分の時計を見た。

「あと一二分だ」

「ジュリアは事故に遭ったのかもしれないぞ」

マイケル・テートが言った。

「死んだのかもしれない」

「言いわけにはならんよ。電話をよこすべきじゃないか」

ダナが割って入った。

「失礼ですが……」

ディレクターがいらいらした顔を、ダナのほうに向けた。

「なんだね？」

「ジュリアが来なければ、わたしでもニュースは読めますが」

「ばか言うな」

ディレクターは助手のほうを振り向いた。

「警備員室に電話して、ジュリアがこのビルに入ったかどうか、聞いてくれ」

助手は受話器をとってダイヤルを回した。

「ジュリア・ブリンクマンはもう受付をすませましたか。受付をすませたら、至急、ここへ来るように伝えてください」

「エレベーターを開けておくように、と言え。オンエアまで、あと……」

と時計を見て、

「七分！　畜生！」

ダナはそこに突っ立ったまま、ますますパニックがひどくなっていく現場を見ていた。

マイケル・テートが言った。

「ぼくが、彼女の分もやりましょう」

「だめ！」

ディレクターが怒鳴った。

「画面には二人いないとだめなんだ」

彼はまた、腕時計に目をやった。

「三分！　なんてこった。ジュリアのやつ、おれたちをこんな目に遭《あ》わせやがって。畜生！　オンエアまで……」

ダナが発言した。

「台本は全部覚えています。わたしが書いたんですから」

ディレクターはちらっとダナに目を走らせた。

「メーキャップはしてないし、衣装もちゃんとしていない」

音声のブースから声がかかった。

「二分前！　全員、位置についてください」

マイケル・テートは肩をすくめると、カメラの前の雛壇《ひなだん》に座った。

「位置について！　急いでください」

ダナはディレクターに向かってにっこりした。

「クラインさん。それじゃ、お先に」

そう言ってドアのほうに行きかけた。

「ちょっと待て！」

クラインは額をしきりに手でこすっていた。

「本当にできると思うか？」

「やらせてみてください」

ダナが言った。

「ほかに手がある？　ないよな」

彼は自問自答して、うめいた。

「オーケー、さあ、あそこへ上がれ。ああ、いやんなっちゃう！　おかあちゃんの言うことを聞いて、医者になっとけばよかったよ」

ダナは急いで雛壇に上がり、マイケル・テートの隣の席についた。

「三〇秒……二〇秒……一〇秒……五秒……」

ディレクターが手で合図をすると、カメラの赤ランプがチカチカ点滅した。

「こんばんは」

ダナが滑らかに話し始めた。

「WTE一〇時のニュースをお伝えします。今夜は、オランダからの特別ニュースをお届けします。きょうの午後、アムステルダムの学校で爆発事故が発生しました……」

終わりまで、順調に進行した。


翌朝、ボブ・クラインがダナの部屋にやってきた。

「悪い報せが入った。昨夜、ジュリアは自動車事故に遭ったんだよ」

ちょっと言いよどんで、続けた。

「顔が、めちゃめちゃにやられたそうだ」

「まあ、お気の毒に」

ダナが心配そうに言った。

「相当、ひどいんですか？」

「かなり、ひどい」

「でも、最近は整形手術ができるし……」

クラインは首を振った。

「いや、ジュリアはもう戻ってこないだろう」

「お見舞いに行ってくるわ。病院はどこですか？」

「家族のいるオレゴン州へ運ばれるそうだ」

「ほんとうに、お気の毒」

「捨てる神あれば拾う神あり」

彼はちょっとの間、ダナの顔をじっと見た。

「きみ、ゆうべはとても良かった。レギュラーが見つかるまで、きみを使うことにするよ」


ダナはマット・ベーカーに会いに行った。

「昨夜のニュース、ごらんになりました？」

「ああ」

マットは無愛想に言った。

「まったく、メーキャップぐらいしたらどうなんだ。それから、もうちょっとちゃんとした服を着ろよ」

ダナはしょぼんとなった。

「そうですね」

部屋を出ようとしたとき、マット・ベーカーがぶすっと言った。

「悪くなかったよ」

彼の場合、これはたいへんな褒め言葉だった。

ニュース番組を始めてから五日目、ディレクターがダナに言った。

「それはそうと、お偉方が、きみをレギュラーにしろと言ったよ」

お偉方って、マット・ベーカーのことかも、とダナは思った。


六カ月のあいだに、ダナはワシントンＤＣでおなじみの顔になった。ダナは若くて魅力的であり、知性が輝いていた。年末には給料が上がり、自分の番組を持つようになった。そのひとつ、「いまここで」は有名人とのインタビュー番組だったが、たちまち人気番組ナンバーワンを記録した。ダナのインタビューは、相手に人間的にせまりながらも、人情にあふれていた。他のトークショーに出たがらない有名人も、ダナの番組にはすすんで出たがった。ダナは、雑誌や新聞からのインタビューを受けるようになった。ダナ自身が有名人になりつつあった。

ダナは夜になると、海外のニュース番組を見ていた。海外特派員がうらやましかった。彼らは重要な仕事をしている。歴史となる事実をレポートし、地球上に起きている重要な出来事を世界中に知らせている。ダナは焦りを感じた。


ＷＴＥとの二年契約が終わりに近づいていた。記者室長のフィリップ・コールはダナを呼んだ。

「ダナ、きみの仕事ぶりはすばらしい。われわれはみな、きみを誇りに思っているよ」

「フィリップ、ありがとう」

「新しい契約について話したいんだが、まず……」

「わたし、やめます」

「なにか言った？」

「契約が切れたら、番組を降ります」

フィリップは、信じられないという目つきでダナを見た。

「なぜ、降りたいの？　ここが好きじゃないのか？」

「すごく好きです」

ダナは言った。

「ＷＴＥには残りたいんですが、わたし、海外特派員になりたいんです」

「海外特派員なんて、みじめな生活だぞ」

フィリップが大声をあげて続けた。

「いったいなんだって、そんなものになりたいんだ？」

「なぜって、わたしはもう、有名人が夕食に何を料理するかとか、五番目の夫にどこで会ったとか、そんなこと聞くのに飽き飽きしました。いま、戦争が起きているんです。人々が死んだり、苦しんだりしているんですよ。でも、世間の人たちは気にも留めない。わたしは、人々に注意を呼び起こしたいんです」

ダナは一息入れて言った。

「わるいけど、もうここにはいられません」

彼女は立ち上がると、ドアに向かって歩き出した。

「ちょっと待ちなさい。特派員の仕事をやりたいというのは、本気かね？」

「ええ。昔からずっとやりたかったんです」

彼はちょっと考えてから言った。

「行くとしたら、どこへ行きたい？」

フィリップの言わんとしている意味を理解するまでに、ほんのちょっと、間があった。

ダナははっきりと答えた。

「サラエボ」

第九章

知事の座にあることは、オリバーが予期していたよりも、はるかに刺激的なものだった。権力は魅惑にみちた情婦だった。オリバーはこれを熱愛した。知事の決定は、何十万人もの人々の生活に影響を及ぼした。彼は州議会をゆさぶるノウハウを熟知していて、その影響力と評判はますます広まっていった。

〈ぼくは、確実に世の中を変えつつある〉

オリバーは気を良くしていた。

彼はデービス上院議員の言葉を忘れていなかった。

〈オリバー、これはただの踏み石にすぎない。くれぐれも気をつけて歩くんだぞ〉

オリバーは非常に気をつかっていた。数多くの情事を持ったが、つねに最大級の慎重さをもって行動していた。慎重でなければならないのを十分に承知していた。

ときおり、オリバーは病院にミリアムの病状を問い合わせた。

「知事、患者はあいかわらず昏睡《こんすい》状態にあります」

「これからも、連絡を頼む」

知事としてのオリバーの任務のひとつは、公式晩餐《ばんさん》会を主催することだった。主賓は、後援者、有名スポーツ選手、芸能人、政治力のある人たち、州外からの高官たちだった。ジャンは優雅なホステスぶりを発揮した。オリバーは、客が彼女にどんな反応を示しているかを見て喜んだ。

ある日、ジャンがオリバーのもとに来て、こう言った。

「いま、父と話したの。来週、ジョージタウンの邸でパーティを開くんですって。わたしたちに来てくれって言うの。あなたに会わせたい人が、何人かいるそうよ」

当日の土曜日、デービス上院議員の豪邸で、オリバーはワシントンでも指折りの辣腕家《らつわんか》たちと握手を交わしていた。すばらしいパーティだった。オリバーは計り知れない喜びを味わっていた。

「オリバー、楽しいかい？」

デービス議員が訊ねた。

「ええ。とても素晴らしい。これ以上のパーティは、望もうと思っても望めませんよ」

ピーター・テイガーが言った。

「そうだ、望みというので思い出した。先日、エリザベスが、ぼくの三歳になる娘なんですがね、えらくご機嫌が悪くて、どうしても着替えようとしないんです。ベッツィーはもうお手上げの状態だった。すると、それを見てエリザベスが、『ママ、なに考えてるの』と言ったんです。ベッツィーは、『おまえの機嫌がよくなりますようにと、神様にお祈りしてたの』と答えた。すると、どうです、エリザベスは『ママのお願いは叶《かな》えられません』と言ったんですよ。すごいでしょう。たったの三歳ですよ。子どもというのは、実に素晴らしい。知事、じゃあ、また後ほど」

一組のカップルがドアから入ってきた。デービス議員は新しい客を迎えに行った。

イタリア大使のアティリオ・ピコーネは、六〇代の、浅黒いシシリア人の特徴を持つ、立派な顔立ちの男だった。夫人のシルバは、いままでオリバーが見たなかで最も美しい女性の一人だった。アティリオと結婚するまでは女優だったとのことだが、彼女はイタリアでいまでも人気があるという。もっともだ、とオリバーは思った。官能的な大きな茶色の瞳、聖母のような顔、ルーベンスの絵のようなふくよかな肉体。彼女は夫より二五歳も年下だった。

デービス上院議員は、大使夫妻をオリバーのもとに案内し、紹介した。

「お会いできて、これにまさる喜びはありません」

オリバーが言った。彼は夫人から目をそらすことができなかった。

シルバがほほ笑んだ。

「あなたのことは、いろいろ伺ってますわ」

「願わくば、悪い噂などではありませんように」

「わたくし……」

彼女の夫が割り込んできた。

「デービス上院議員は、知事のことをとても褒《ほ》めておられますよ」

オリバーはシルバに目を向けて、

「お褒めにあずかってうれしいですな」

と言った。

デービス議員は、夫妻を他の人たちのほうへ連れていった。やがてオリバーのもとに戻ってくると、デービスが言った。

「知事、あれは立入り禁止だ。禁断の果実だよ。一口でもかじってみろ。あんたは未来と別れのキスをするはめになる」

「トッド、安心してください。ぼくは……」

「わしは本気で言ってるんだ。あんたは一度に二カ国を敵に回すことになるんだぞ」

パーティが終わりに近づいた。シルバと夫が立ち去るとき、アティリオが言った。

「お会いできてよかった」

「こちらこそ」

シルバはオリバーの手をとって、やさしく言った。

「またお会いしたいわ」

目と目が合った。

「ええ」

オリバーは思った。

〈気をつけなければ〉


二週間後、オリバーはフランクフォートに戻っていた。執務室で仕事をしていると、秘書から電話が入った。

「知事、デービス上院議員がいらしてます」

「デービス上院議員がここに?」

「ええ、そうです」

「部屋に来てもらってくれ」

義父がいまワシントンで、重要な法案を通すために奔走しているのを、オリバーは知っていた。なんのためにフランクフォートへ来たのか、不思議に思った。ドアが開き、上院議員が入ってきた。ピーター・テイガーもいっしょだった。

笑顔を浮かべて、トッド・デービスがオリバーの身体に腕をまわした。

「知事、会えてうれしいよ」

「ぼくもです、トッド」

オリバーはピーター・テイガーのほうを向いた。

「ピーター、おはよう」

「おはようございます、オリバー」

「邪魔をして悪いが」

デービス上院議員が言った。

「いえ、とんでもない。なにか、問題でも？」

デービス上院議員はテイガーに目をやり、にやっとした。

「いや、なにか問題があるとは全然思えん。むしろ、なにもかもうまくいってると思うね」

オリバーは戸惑いながら、二人の顔を探るような目で見つめていた。

「なにごとですか？」

「おまえさんに、よい報せがある。座ってもいいかね」

「あ、どうぞどうぞ。なにがよろしいですか。コーヒー？　ウィスキー……？」

「なにも要らないよ。わしらは、もうかなり興奮しているからな」

オリバーはふたたび不審に思った。

「わしはいま、ワシントンから着いたばかりだ。ワシントンには、おまえさんが次期大統領になると考えている、極めて大きな勢力がある」

「ええっ、ほんとうですか？」

オリバーは、興奮がさざ波のように身体を突き抜けるのを感じた。

「実をいうと、今回、ここへ飛んできたのは、選挙運動を始める準備のためだ。選挙まであと二年足らずだ」

「最高のタイミングですよ」

ピーター・テイガーも熱っぽく言った。

「選挙運動が終わるころには、あなたは世界中に知られています」

デービス議員がそのあとを続けた。

「ピーターが選挙参謀になる。あんたの問題はすべてピーターが処理することになる。これ以上の適任者はいないということを、わかってるね」

オリバーはテイガーを見て、ぬくもりのある声で言った。

「同感です」

「喜んでお引き受けしますよ。オリバー、せいぜい楽しくやりましょう」

オリバーはデービス上院議員のほうに向き直った。

「これにはしかし、莫大《ばくだい》な資金が要るんじゃないですか？」

「金のことは心配するな。最後までファーストクラスでやる。金をかけるならオリバーだと、大勢の友人たちを説得したよ」

議員は椅子から身を前にせり出した。

「オリバー、自分を過小評価するなよ。二カ月前に出た調査では、あんたがわが国の最も有能な知事の三位に入っている。しかし、上位二人にはないものが、おまえさんにはある。前にも言ったと思うが、それはカリスマ性だ。これは金では買えない。あんたは人に好かれる。だから、人々はおまえさんに投票するだろう」

オリバーはしだいに興奮してきた。

「いつから始めますか？」

「もうすでに始まってるよ」

デービス議員はオリバーに告げた。

「われわれは強力なチームを組むつもりだ。さっそく、全国に代議員を組織すべくとりかかろう」

「実際のところ、当選の可能性はどの程度ありますかね？」

「予備選挙では、きっと他の候補を圧倒しますよ」

テイガーがそう言って、つづけた。

「一般選挙では、ノートン大統領の支持率はかなり高い。彼との対抗戦になると、打ち破るのは相当にきついでしょう。ところが、ありがたいことに、彼はいま二期目だから、再出馬はできません。じゃあ副大統領のキャノンはというと、これは影がうすい。ちょっと陽が当たれば消えてしまうようなしろものです」


ミーティングは四時間つづいた。会議が終わったとき、デービス上院議員はテイガーに向かって言った。

「ピーター、しばらく二人にしてくれないか」

「いいですよ」

二人はテイガーが部屋から出るのを見つめた。

デービスが言った。

「けさ、ジャンと話をしたよ」

オリバーは、ひやっとした。

「そうですか」

心臓が震えそうだ。

デービス上院議員は、オリバーを見てにこりとした。

「ジャンは幸せそうだ」

オリバーはほっと安堵《あんど》の息をついた。

「それはよかった」

「わしもうれしい。家庭の暖かな火は、絶やさずにおくもんだ。わしのいう意味がわかるかな?」

「トッド、その心配はいりませんよ。ぼくは……」

デービス上院議員の微笑が薄らいだ。

「いや、オリバー、わしは心配してるんだ。おまえさんの女好きを咎《とが》めるわけにはいかんが……ただ、そのために、くだらない存在にだけは成り下がらないでくれ」


州議会の廊下を歩きながら、デービス上院議員はピーター・テイガーに言った。

「いまからスタッフを集めてくれ。金はけちるな。まず、選挙事務所をニューヨーク、ワシントン、シカゴ、カリフォルニアに置くこと。あと一二カ月で予備選挙が始まる。党大会は一八カ月先だ。そこまで行けば、あとは順調な航海を期待できる」

二人は車のそばに来た。

「ピーター、空港までいっしょに来いよ」

「あの方はすばらしい大統領になりますよ」

デービス上院議員はうなずいた。

〈そして、やつをわしのポケットに収める。やつはわしの操り人形になる。このわしが糸を引くと、合衆国大統領がパクパクしゃべるというわけだ〉

上院議員は金の葉巻ケースをポケットから取り出した。

「一本、どうだ？」

全国の予備選挙は順調に始まった。

ピーター・テイガーを参謀に起用したデービス上院議員の意図は、ずばり当たった。テイガーは世界でもっともすぐれた政治マネージャーの一人だった。彼が築いた組織は極めて有能だった。テイガーが一徹な家庭人であり、信心深い教会の信者だったために、宗教的右翼を味方につけた。政治のノウハウに熟知していたので、自由主義的な人々をも、違いを超えていっしょに働こうと説得することができた。テイガーは実にすぐれた選挙参謀だった。片側の目にかぶさった、やくざっぽい黒いアイパッチは、全国の茶の間で、ニュースを見る人たちのおなじみの小道具となった。

オリバーが成功を収めるためには、党大会で最低二〇〇票を獲得しなければならないのを、テイガーは知っていた。オリバーには確実に二〇〇票は集めさせるぞ、と心に期していた。

テイガーが作った予定表には、連邦内のあらゆる州に数回ずつ訪問するように日程が組まれていた。オリバーはこのスケジュールを見て仰天した。

「そ、それは、不可能だよ！　ピーター」

「われわれが組んだプランでやれば大丈夫です」

テイガーは胸をたたいて言った。

「すべて調整ずみです。上院議員が、自家用機のチャレンジャー号をパイロットごと貸してくださるそうです。訪問先では、必ず土地カンのある人間を手配しますよ。あなたのそばには、ぼくが必ずついていますし」

デービス上院議員は、オリバーにサイム・ロンバルドを紹介した。ロンバルドはまるで巨人だった。身の丈が高くて、逞《たくま》しい男だった。身体も浅黒ければ、感情の面でも暗さが感じられた。むっつりしていて、めったに口を開かなかった。

「あんな男が、なぜうちのチームにいるんです？」

オリバーが問うと、デービス上院議員は答えた。

「サイムはうちの問題処理係だよ。ときには、ちょっと説得しないと、なかなか決心ができない人間がいるのでね。サイムはその手の説得がとてもうまいのさ」

オリバーは、それ以上は聞かなかった。


大統領選挙の本番が始まると、ピーター・テイガーはオリバーに、いつ、なにを、どう言うべきか、細かい指示を与えた。テイガーは、オリバーが重要な鍵を握る州のすべてに顔を出せるよう、責任を持って世話をした。オリバーは行く先々で、人々が聞きたがっていることを話した。

ペンシルバニアでは、こんなぐあいだった。

「製造業はわが国を生かしている血液です。それを忘れてはいけない。ふたたび工場を開設し、アメリカを正しい軌道に乗せよう！」

拍手喝采《かっさい》。

カリフォルニアでは——。

「航空業は、わが国の最も重要な資産のひとつです。みなさんの工場が、たとえ一つでも閉鎖されるなら、それは不当です。再開させるために、わたしは努力を惜しみません」

拍手喝采。

デトロイトでは——。

「われわれは自動車を発明した。そして日本人が、われわれから技術を奪い取った。われわれは、ナンバーワンとしての正当な地位を取り戻そうではありませんか。デトロイトが、ふたたび世界の自動車産業の中心地となるのです！」

拍手喝采。

大学のキャンパスでは、政府が保証する学生ローンの問題について演説した。

全国の陸軍基地では、非常事態対策を演説のテーマに選んだ。

初めのうちこそ、オリバーの知名度はほかの候補者よりも低く、不利な立場にあった。選挙活動が進むにつれて、世論調査は彼の上昇を伝えるようになった。

七月の第一週目、四〇〇〇人以上の代議員と補充要員とが、何百人もの党幹部と候補者とともに、クリーブランド大会に集まった。パレードや、山車《だし》や、パーティなどで、町中ひっくり返るような騒ぎだった。世界各国のテレビ局のカメラが、この光景を映し出した。ピーター・テイガーとサイム・ロンバルドは、いつでもオリバー・ラッセル知事がカメラの前にいるよう、あらゆる手段を用いて取り仕切った。

オリバーの党には、指名される可能性のある候補者が六人いた。トッド・デービス上院議員はぬかりがなかった。オリバー以外の候補者には消えてもらうよう、一人一人に確実な裏工作を行った。彼らに、いままでの恩を返せ、ときには、二〇年も昔の恩を返せと、情け容赦なく迫ったのだ。こんなぐあいに、である。

「トビー、トッドだ。エマとスージーは元気かい?……それはけっこう。ところで、あんたが推《お》してるアンドリューの件で相談があるんだが。トビー、わしは彼については心配してるんだ。やっこさん、あまりにもリベラルに偏《かたよ》っていると思うよ。南部じゃ絶対に彼を受け入れないね。で、わしの案なんだが……」

「アルフレッド、トッドだ。ロイはどうしてる?……いや、礼なんか言わなくてもいい。彼の役に立ってうれしいよ。ところで、きみが推してる候補者のジェリーだが、わしの考えでは彼はあまりにも右寄りだと思うがな。ジェリーを支持すると、われわれは北部を失うことになるよ。だから、わしはこういう提案をしたい……」

「ケネス……トッドだ。例の不動産の件、きみに有利な展開になってよかったな。それを言いたくて電話したんだ。皆の儲《もう》けは、けっこういい線をいったね。ところで、スレイターだが、ちょっと話しておきたい。彼じゃ、弱い。負けるよ。負け犬の応援はごめんだ。どうだね……?」

このようにして事が運んでいった。その結果、党の支持を受けて残れそうな候補者は、オリバー・ラッセル知事ただ一人となった。

指名の経過は順調に進んだ。最初の投票で、オリバー・ラッセルは七〇〇票を獲得した。その内訳は、北東工業地帯の六州から二〇〇票、ニューイングランドの六州から一五〇票、南部の四州から四〇票、農業地帯の二州から一八〇票、あとは太平洋沿岸の三州からである。

ピーター・テイガーは、広報活動を順調に進めるために、身を粉にして働いた。最終得票数の集計が出たとき、勝者はオリバー・ラッセルだった。興奮渦巻くサーカスのような雰囲気は、計算された演出ではあったが、ともかくもそのなかで、オリバー・ラッセルは満場一致の指名を受けたのだった。

つぎのステップは、オリバーがだれを副大統領候補に選ぶかだった。メルビン・ウィックスを推したのは、申し分のない選択だった。政治的に公正なカリフォルニア出身者で、裕福な実業家、そして見た目に好感を持たれる国会議員であった。

「彼らは互いの欠陥を補いあう」

とテイガーは言った。

「いまから、いよいよ本番開始だ。マジックナンバー二六九をめざして頑張ろう」

二六九は、大統領に選出されるために必要な、大統領選挙人による票数である。

テイガーはオリバーに言った。

「国民は、若い指導者を……ハンサムでそこそこユーモアのセンスがあり、ビジョンを持つ指導者を待ち望んでいます。彼らは、あなたに偉大だと言ってもらいたがっている。そして、そう信じたいと思っている。彼らに、あなたが優秀な人間であることを知らせる必要はありますが、優秀すぎてもいけないんです。対立候補を攻撃するときは、個人攻撃をしないこと……けっして記者を馬鹿にしてはいけません。友だちのように扱えば、彼らは友だちになる。できるだけ、狭量な面は見せないように。自分が指導者であることを、ゆめお忘れなきよう願います」

選挙運動はノンストップで展開された。デービス上院議員のジェット機はオリバーを乗せて、テキサスへ三日間、カリフォルニアへ一日、ミシガンへ半日、マサチューセッツへ六時間飛んだ。一分一分が勝負だった。一日で一〇の都市をまわり、一〇回演説する日もあった。毎晩、違うホテルに泊まった。シカゴのドレーク、デトロイトのセント・レジス、ニューヨークのカーライル、ニューオーリンズのプラス・ダルメなど。どこも寝るだけだったから、泊まったホテルはみな同じに思えてきた。行く先々で、オリバーはパトカーの先導で行進し、歓声をあげる群衆がその後に続いた。

ジャンはほとんどの旅行に同伴した。彼女の存在が大いに役立つことを、オリバーは認めざるをえなかった。ジャンは知的で、魅力的だった。そして記者たちに好かれた。

オリバーはときどき、レスリーが新しく買収した会社についての記事を読んだ。マドリッドの新聞社、メキシコのテレビ局、カンザス州のラジオ局などだ。彼はレスリーの成功を喜んだ。自分が彼女にしたことへの罪悪感が、薄められる感じがした。


オリバーは、どこであれ行った先で必ず記者からカメラを向けられ、インタビューを受けた。発言はすべて報道された。一〇〇人以上の報道陣がオリバーのキャンペーンを取材していた。なかには、地球の裏側の国からやってきた記者もいた。選挙戦がクライマックスに近づくにつれて、世論調査は、オリバー・ラッセルが先行馬であることを示し始めた。ところが、意外にもキャノン副大統領がオリバーを追い抜き始めたのだ。ピーター・テイガーは心配になった。

「世論調査では、キャノンの人気がうなぎ上りだ。なんとかして、抑えなくては」

キャノン副大統領とオリバーのテレビ討論会が行われることになった。

「キャノンは、経済問題を取り上げるつもりだ」

テイガーがオリバーに告げた。

「彼はきっとうまくやるでしょう。こちらは彼に、フェイントをかける必要がある。ぼくの作戦はこうです……」


第一回目の討論会の夜、キャノン副大統領はテレビカメラの前で経済について議論した。

「いまは経済的に見て、アメリカ史上最も健全な時代です。ビジネスは繁栄しています」

そう切り出した彼は、それから一〇分の間に、議論をこまかく展開させ、実例と数字を駆使して、自分の主張を証明してみせた。

オリバー・ラッセルが、マイクの前に立つ番になった。彼はまず、こう言った。

「たいへんすばらしいお話でした。大企業が非常によい業績をあげ、法人益の増収が過去最高だというのは、われわれにとってうれしいニュースです」

それからやおら、身体を対立候補のほうに向けた。

「しかし、企業の業績が大きく上回った理由は、いわゆる合理化にあるとおっしゃるのを、お忘れになった。合理化というのは、率直にいえば、機械を入れるために従業員がクビになることです。かつてない大勢の人たちが、現在、失業の憂き目にあっています。われわれは人間の側の現状に目を向けなくてはなりません。わたしは、企業の財政的成功が、人間よりも重要だというあなたの考え方に、同意できません……」

このようにして議論は進んだ。キャノン副大統領がビジネスについて話すと、オリバー・ラッセルは人道的な側面から迫り、人の感情や、人々への機会均等について語った。討論会が終わるころには、キャノンはアメリカ国民に対して全然思いやりのない、冷血な政治家のように印象づけられてしまっていた。ラッセルの作戦勝ちだった。

討論会の翌日、世論は変わり、オリバー・ラッセルは副大統領に僅差《きんさ》まで追いついた。全国向けの討論会は、あと一回あった。

アーサー・キャノンは、前回の経験から学ぶものがあった。最後の討論会が開かれたとき、キャノンはマイクの前に立つと、こう言った。

「わが国では、すべての人々が平等な機会をもつことが保証されています。アメリカは自由に恵まれた国です。しかし、それだけでは十分ではありません。国民は働くことの自由と、人並みの生活費を得る自由を持たねばなりません……」

キャノンはオリバーのお株を奪い取り、自分が考えている国民福祉のすばらしい計画について、議論を集中させた。しかし、ピーター・テイガーの作戦には、このことは織り込みずみだった。キャノンの話が終わると、オリバー・ラッセルはマイクのそばに歩み寄った。

「とても感動的なお話でした。失業者、つまり、あなたの言われる『忘れられた人々』の窮状についての報告は、疑いなく、われわれ一同の心を深く打つものでした。ただし、彼らのためのすばらしい計画を、あなたがいかにして行うつもりか、この点については何もおっしゃらなかった。これが、わたしには気がかりです」

その後は、副大統領が感情的に話した問題について、オリバー・ラッセルは論点をしぼって話し、自分の経済計画を説明した。副大統領への風当たりはいっそうきびしくなった。

オリバー、ジャン、デービス上院議員の三人は、ジョージタウンのデービス邸で食事を共にしていた。上院議員は、ジャンにほほ笑みかけた。

「最新の世論調査を、さっき見てきたばかりだ。ホワイトハウスの改装を、もう始めてもいいと思うよ」

ジャンの顔がぱっと明るくなった。

「お父さま、ほんとうに選挙に勝つとお思いなの？」

「わしだって間違いはいろいろ犯すよ。だが、政治に関してなら、絶対に間違わない。政治はわしの命の源泉なんじゃから。一一月には、新大統領が誕生する。いま、おまえの隣に座っている方がその人なのだよ」

第一〇章

「ベルトをお締めください」

〈さあ、行くぞ!〉

ダナはわくわくした。

肩ごしに、ベン・アルバートソンとウォリー・ニューマンのほうを見た。ダナのプロデューサーであるベン・アルバートソンは、四〇代の、顎《あご》ひげを生やした、運動過多症の男だった。これまでに、最高水準のテレビニュース番組を何本も制作しており、非常に尊敬されていた。カメラマンのウォリー・ニューマンは、五〇代前半。情熱的で、才能に恵まれた彼は、新しい仕事をとても楽しみにしていた。

いまから向かう先に待っている様々な冒険について、ダナは思いをめぐらせていた。三人はパリに到着したら、クロアチアのザグレブ行きに乗り換えることになっていた。サラエボに向かうためである。

出発の一週間前、ダナはワシントンで、外信部デスクのシェリー・マクガイヤーから状況説明を受けた。

「うちの社は、サラエボには衛星用送信機を持っていないのよ」

マクガイヤーが言った。

「だからうちは、送信機を持っているユーゴスラビアの会社から、時間を買わなくちゃいけないわけ。まあ、そのうち、うちでも送信機を持つようにするつもりだけど。というわけで、あなたは仕事に二つの手間をかけることになるわ。生中継も多少はあるけど、大半はテープ収録よ。ベン・アルバートソンが取材の内容を決めたら、あなたは取材と撮影をして、地元のスタジオで録音をしてちょうだい。業界第一のプロデューサーとカメラマンを、あなたに付けてるわ。問題はなにもないはずよ」

後日、ダナはこの楽観的な言葉を思い出すこととなった。

ダナが出発する前日、マット・ベーカーから電話があった。

「ぼくの部屋に来てくれ」

ぶっきらぼうな声だった。

「すぐ行きます」

ダナは不安を抱きながら電話を切った。

〈わたしの転属について、彼は気が変わったんだわ。わたしを行かせないことにしたのね。なぜ、そんなことをするの？〉

彼女は決意を固めた。

〈ようし！　彼と戦ってやる〉


一〇分後、ダナはマットの部屋へ突進した。

「なにをおっしゃろうとしているのか、わかっています」

ダナは口を開いた。

「でも、あなたのためにはなりませんよ。わたしは絶対、行きますからね。小さいときから夢見ていた仕事です。サラエボで、なにか役に立てると思うんです。お願いですから、やらせてください」

ダナは息をついだ。

「それで」

傲然《ごうぜん》と言い放った。

「ご用はなんですか？」

マット・ベーカーは、ダナに目をすえてやさしく言った。

「ボン・ボワイヤージュ」

「えっ？」

ダナは目をぱちくりさせた。

「ボン・ボワイヤージュ。よい旅を、という意味だよ」

「意味なんて、わかってます。わたしを……お呼びになったのは……」

「きみを呼んだのは、うちの海外特派員の何人かと話したからだよ。彼らから、きみへのアドバイスをもらったんだ」

このぶっきらぼうで、クマのような男は、わたしを助けるために、わざわざ時間を割いて特派員と話してくれたのだ！

「わたしは……どう言っていいか、わかりません……」

「じゃあ、言わなくていい」

マットがぶっきらぼうに言った。

「きみは銃撃戦のど真ん中に入っていく。きみがわが身を百パーセント守れるか、保証はまったくない。弾丸というやつは、どこを通ろうが頓着《とんちゃく》しないんだからな。しかし、戦闘の真っただ中に入ると、体内のアドレナリンが増えて、人間は無鉄砲になる。ふだんならやらないような、ばかばかしい行動をとってしまう。そいつをコントロールしなくちゃいけない。いつも安全第一を心がけること。一人で路上をうろうろしないこと。命を賭《か》けるほど値打ちのあるニュースなんて、ないんだからね。それと、あと一つ……」

講義は一時間ほど続いた。最後にマットが言った。

「じゃ、これで終わりだ。気をつけて行ってくるんだぞ。危ないことをしたら、承知しないからな」

ダナは身を乗り出し、マットの頬《ほほ》にキスをした。

「こんなこと、二度とするな」

彼はぴしゃりと言って、立ち上がった。

「ダナ、あっちはきびしいぞ。着いてみて気が変わったり、帰りたくなったりしたら、いつでも言って来い。手配してやるから」

「気は変わりません」

ダナは自信たっぷりに答えた。

誤った自信だったとは、後でわかった。

パリへの旅は平穏だった。シャルル・ドゴール空港に着くと、三人は空港バスに乗ってクロアチア航空のカウンターに行った。出発時間は三時間遅れた。

その晩一〇時に、クロアチア航空機はサラエボのブトミル空港に到着した。乗客はひとかたまりになって、公安機関の建物へ案内された。制服姿の保安官たちが、パスポートを検査すると、前に進むようにと合図した。ダナがドアのほうに歩いて行くと、民間人の服装をした背の低い男が、ダナの前に立ちはだかって、通すまいとした。

「パスポート」

えらそうに言う。見るのも不愉快になりそうな顔つきの男だ。

「あの人たちに、見せました……」

「わたしは、ゴルダン・ディブヤック大佐だ。パスポートは？」

ダナは彼に、パスポートと記者証明書を見せた。

男はそれをぱらぱらとめくってみて、

「ジャーナリストですな？」

と鋭い目つきでダナを見た。

「あなたは、どちら側の味方ですか？」

「わたしはどちらの味方でもありません」

ダナは落ち着いた声で答えた。

「報道内容には注意するように」

ディブヤック大佐はそう言い、こんな警告を発した。

「われわれは、スパイ行為に対して甘くはない」

まったく……とダナは思った。

〈ようこそサラエボへ、だわ〉


空港には、防弾装備のランドローバーが一行を迎えにきていた。運転手は二十歳《はたち》そこそこの浅黒い顔をした青年だった。

「ぼくはヨーバン・トーリです。よろしく。サラエボで皆さんの運転手をつとめます」

ヨーバンはカミカゼ運転だった。まるでなにかに追いかけられているように、急カーブして角を曲がり、人気《ひとけ》のない道路を猛スピードで突っ走った。

「すみませんが」

ダナは気が気でなくて言った。

「特別に、急ぐ理由でもあるの？」

「ええ。皆さんが生きたままホテルに着ければ、と思って」

「でも……」

ダナの耳に、遠くでごろごろ鳴る雷のような音が聞こえた。音はだんだん、こちらに近づいてきている。

聞いたのは、雷鳴ではなかった。

闇の中で、正面が吹き飛ばされた建物や、屋根のないアパート、窓のない商店などを、ダナははっきりと見ることができた。前方に、彼らが泊まるホテル、ホリデーインが見えた。ホテルの正面には一面あばたのようなブツブツがあった。車寄せには深い穴がえぐられている。車はそのわきを、猛スピードで通り抜けた。

「待ってよ。これ、わたしたちが泊まるホテルでしょ」

ダナは叫んだ。

「どこへ行くの？」

「正面玄関は危険すぎます」

ヨーバンが答えた。彼は角を曲がり、路地に走り込んだ。

「みんな裏口を使うんですよ」

突然、ダナの口の中がカラカラになった。

「そうなの」

それだけ答えるのがやっとだった。

ホリデーインのロビーは、うろうろ歩きまわったり、ぺちゃくちゃおしゃべりをしている人たちであふれていた。

若くて魅力的なフランス人男性が、ダナに近寄ってきた。

「お待ちしていました。あなた、ダナ・エバンズさんでしょう？」

「そうです」

「ジャン・ポール・ユベール。Ｍ６、メトロポリタン・テレビから来てます」

「お会いできてうれしいわ。こちらは、ベン・アルバートソンとウォリー・ニューマンです」

「ようこそ。消え失せそうな町の、焼け残りのこの場所まで、よくはるばると」

男たちは握手を交わした。

ジャン・ポールの周りにいた人たちも一人ずつそばに来て、歓迎の挨拶《あいさつ》と、自己紹介がつづいた。

「カベリ・ネットワークのステファン・ミューラーです」

「ロデリック・マン。ＢＢＣ２です」

「イタリアⅠのマルコ・ベネリです」

「石原アキヒロ、東京テレビです」

「グァダラハラのチャンネル６、ファン・サントス」

「チュン・シアン、上海テレビです」

自己紹介が無限に続きそうだった。ダナには、世界中の国がここに記者を送り込んでいるように思えた。最後は、金歯をキラキラさせている大柄のロシア人だった。

「ニコライ・ペトロビッチ。ゴリゾント22です」

「ここには、何人の記者が来ているんですか？」

ダナがジャン・ポールに訊ねた。

「二五〇人以上は来てますよ。これほど派手な戦争はめったにないからね。あなたは、ここには初めて？」

「ええ」

ジャン・ポールは、まるでテニスの試合の話でもするような調子で言った。

「なにか、ぼくにできることがあれば、いつでも言ってください」

「ありがとう」

ちょっとためらってから、ダナが訊ねた。

「ゴルダン・ディブヤック大佐って、何者なの？」

「知らないほうがいい。ぼくらはみな、セルビア版ゲシュタポの手先だと考えている。でも、はっきりしたことはわからない。彼には、かかわらないことを勧めるよ」

「わかったわ」

ベッドに入ったとき、突然、通りの向こう側から大きな爆発音が響いた。続いて、また爆音がして、部屋が揺れた。ダナは恐怖に襲われたが、同時に、気持ちが高ぶってくるのを感じた。どこか現実的でなく、まるで映画のシーンに身を置いているようだった。ダナは、恐ろしい殺人マシンのとどろきを耳にし、暗い窓に映し出される閃光《せんこう》を見ながら、一晩中眠らずに横たわっていた。

朝になった。ダナは起きあがり、ジーンズ、ブーツ、防弾服に着替えた。われながら大げさな感じがする。だが、ワシントンを発つ前に言われたではないか。

〈安全第一だ。命を賭けるほど値打ちのあるニュースなんか、ないんだから〉

ダナ、ベン、ウォリーの三人は、ロビーの食堂でたがいの家族のことを話し合っていた。

「話すの忘れていたけど、うれしいニュースがあるんだ」

ウォリーが言った。

「来月、初孫が生まれる予定なんだよ」

「まあ、すてきね」

ダナは胸の内で考えた。

〈わたしにも、いつか子どもや孫ができるのかしら。ケ・セラ・セラ、なるようになるわだわ〉

仕事の話になった。

「ぼくの案はこうだ」

ベンが言った。

「まず、総合的な取材をする。いまここで何が起こっているか、それによって人々の生活はどんな影響を受けているか、といったことだ。ぼくはウォリーとロケハンに行ってくる。ダナ、きみは通信衛星の時間を確保するように頼むね」

「いいわ」


ヨーバン・トーリは、路地に止めたランドローバーのなかで待っていた。

「ドブロ・ユスロ、おはようございます」

「ヨーバン、おはよう。通信衛星の時間を貸してくれるところへ行きたいの」

「政府関係のビルですね」

車の中から、ダナは初めてサラエボの姿をはっきり見ることができた。無傷の建物は一軒もないようにみえた。ひっきりなしに銃声が響いてきた。

「たまに、やめることはないの？」

ダナが訊ねた。

「弾丸がなくなればやめますよ」

ヨーバンが苦々しそうに言った。

「ところが、弾丸はけっして底をつかないんです」

歩いている人をほんの数人見かけたが、通りはひっそりとしていた。カフェはどれも店を閉じていた。舗道は砲弾の突き刺さった痕《あと》で穴ぼこだらけだった。車は、オスロボジェンス・ビルの前を通り過ぎた。

「あそこがうちの新聞社です」

ヨーバンが自慢げに言った。

「セルビア人は何度も破壊しようとするけど、できないんです」

数分後、二人は目的のビルに着いた。

「ここで待っています」

ロビーのデスクに、八〇歳代に見える受付係が座っていた。

「英語、わかりますか？」

ダナが訊ねた。

彼はうっとうしそうにダナを見つめた。

「わたしは九カ国語を話しますよ、マダム。ご用はなんですか？」

「わたしはＷＴＥのものですが、通信衛星の時間を予約したいのでご相談を……」

「三階」


ドアには「ユーゴスラビア通信衛星部門」と書いた札がかかっていた。受付の部屋に入ると、壁沿いに木のベンチがあり、男たちが大勢座っていた。

ダナは受付の若い女性に、自己紹介をした。

「ＷＴＥのダナ・エバンズです。通信衛星の時間を予約したいんですが」

「どうぞ、お掛けになって順番をお待ちください」

ダナは部屋を見回した。

「ここにいる方々は、みなさん、通信衛星の予約をなさるんですか？」

女性はダナを見上げて答えた。

「もちろんよ」


約二時間後、ダナはマネージャーのオフィスに通された。マネージャーは背の低いずんぐりした男で、葉巻を口にくわえていた。昔の典型的なハリウッドのプロデューサー・タイプに見えた。

「なんの用ですか?」

強い訛《なまり》で問いかけてきた。

「WTEのダナ・エバンズです。通信衛星の時間を三〇分予約したいのです。時間は、ワシントン時間の午後六時がいいんですが。毎日同じ時間を、無期限でお願いします」

ダナは相手の表情の動きを見すえた。

「なにか問題がありまして?」

「ひとつ、ありますな。いまのところ、通信衛星の時間は空いていません。すべて予約でいっぱいです。キャンセルが出たら、電話でお知らせしましょう」

ダナはうろたえて男を見た。

「だめですって?……でも、どうしても通信衛星の時間が要るんです。なんとか……」

ダナが必死に頼み込もうとするのを、男の声がさえぎった。

「ほかの人たちもみな同じですよ、マダム。むろん、自社の送信機を持っているところは別ですがね」

ダナは受付に戻った。やはりまだ大勢が待っていた。

〈なんとかしなくちゃ〉

ダナはビルから出ると、ヨーバンに言った。

「町のなかを、あちこちドライブしてくれない？」

ヨーバンはダナを振り返り、肩をすくめて答えた。

「言うとおりにしますよ」

彼は車を発進させると、猛スピードで走りだした。

「もうちょっと、ゆっくり走ってくれない？」

〈この町の感じをつかまなくっちゃ〉

サラエボは包囲攻撃にさらされた都市だった。水道、ガス、電気はなく、毎時間のように、つぎつぎと家屋が爆破されていた。あまりにも頻繁に空襲警報が鳴るので、人々は聞こえないふりをしていた。宿命論の毒気が、街の上に重くのしかかっているようだった。

〈弾丸に、やっつける相手として指名された日には、隠れてもむださ〉

そんなふうに、暗く開き直っているようにも見えた。

ほとんどの街角で、男や女や子どもたちが、なけなしの所持品を売りさばいていた。

「あの人たちは、ボスニアやクロアチアからの避難民ですよ」

ヨーバンが説明した。

「食べ物を買うお金をつくろうとしているんです」

そこかしこで、火災が発生していた。消防士の姿は影も形もなかった。

「消防署はないの？」

ダナが訊ねた。

ヨーバンは肩をすくめた。

「ありますよ。でも、来ようとはしません。セルビア人狙撃兵《そげきへい》の絶好の攻撃目標になるからです」


ボスニアとヘルツェゴビナの戦争は、初めのうち、ダナにはよくわからなかった。まったく意味のない戦争だということを認識するまで、一週間かかった。この戦争を説明できる人はだれもいなかった。だれかが、著名な歴史家だという大学教授の名前を教えてくれた。重傷を負っているので、自宅から出られないとのことだった。ダナは教授を訪ねて話を聞こうと決心した。

ヨーバンの運転で、カファナへ行った。そこは旧市街で、教授の住んでいる地区だ。ムラディック・スターカ教授は、グレーの髪の小柄な人物で、ほとんどこの世のものではないような姿を見せていた。弾丸が背骨を撃ち抜いたため、身体は麻痺《まひ》してしまっていた。

「わざわざおいでくださって、ありがとう」

教授が言った。

「最近は、訪れてくれる人も、あまりいません。なにか聞きたいことがおありだとか」

「ええ、この戦争の取材をすることになっているんですが」

ダナが言った。

「でも、正直なところ、よく理解できないんです」

「理由はとても簡単なんですがね。この、ボスニアとヘルツェゴビナの戦争は、人間の理解の限度を超えたものです。セルビア人、クロアチア人、ボスニア人、イスラム人は、何十年ものあいだ、チトー大統領のもとで、みんな平和に暮らしてきました。友人であり、隣人でした。ともに成長し、ともに働き、同じ学校に通い、たがいに結婚もしました。

「で、いまは？」

「この友人が、たがいに拷問し合い、殺し合っているんです。憎しみのせいで、彼らはとてつもなく残虐な行為をするようになった。あまりに酷《ひど》いので、わたしは言葉にできません」

「いくつか、実際に起きた話は聞いています」

ダナはそう言った。

彼女が聞いた話は、信じられないほどひどいものだった。血だらけの、人間の睾丸《こうがん》であふれた井戸、レイプされて、虐殺された幼児たち、教会に閉じ込められたうえ、火を放たれて殺された罪のない村びとたち。

教授は首を振った。

「あなたが、だれの話を聞いたかによりますね。第二次大戦中、連合軍側だった何十万ものセルビア人が、ナチ側だったクロアチア人に抹殺されました。いまは、セルビア人が血の復讐《ふくしゅう》をしている最中です。国を人質にとってね。彼らは残忍だ。サラエボだけで二万三〇〇〇発以上の砲弾を浴びました。最低でも一万人が殺され、六万人以上が負傷しました。ボスニア人とイスラム人もそれなりに、拷問と殺戮《さつりく》の責任を負わねばなりません。戦争を望まない人たちも、やむをえず巻き添えをくっています。お互いにだれも信用できない。残されたのは、憎しみだけ。今ここにあるのは、火が火をなめて広がっていく大火災です。そして、火を燃え上がらせる燃料は、罪なき人々の身体なのです」

その日の午後、ダナがホテルに戻ると、ベン・アルバートソンが待っていて、きみ宛ての電話があったと伝えてくれた。明日午後六時に、一〇分間、通信衛星を使ってよいという連絡が入っていたのだ。

「理想的な撮影場所を見つけたよ」

ウォリー・ニューマンが言った。

「教会前の広場なんだ。カトリック教会、モスク、プロテスタント教会、ユダヤ教会と、それぞれが目と鼻の先にある。この教会という教会が、全部爆破されているんだよ。きみは、憎しみの機会均等について原稿が書けるよ。憎しみが、ここに住む人たちにどんな影響をあたえたかがわかる。望んでもいないのにむりやり戦争に引きずり込まれた人たちについて、書くことができるよ」

ダナは興奮してうなずいた。

「いいわ。じゃあ、夕食のとき会いましょう。いまから仕事をするわ」

ダナは自分の部屋に行った。


翌日の夕方六時に、ダナ、ウォリー、ベンの三人が、爆破されたキリスト教会とユダヤ教会のある広場の前に集まった。ウォリーは三脚にカメラを据えつけ、ベンは通信衛星の合図を待っていた。どこか近くで、狙撃の音が聞こえてきた。ふいに、ダナは防弾服を着てきてよかったと思った。

〈怖がることなんかないわ。彼らはわたしたちに向かって撃ってきたりしないもの。互いに撃ち合っているだけ。彼らには、わたしたちが必要なんだわ。自分たちの言い分を世界に伝えるためにね〉

ダナは、ウォリーが合図するのを見た。大きく息を吸い込み、カメラのレンズを見つめて、口を開いた。

「わたしの背後に、爆破された教会が見えます。この姿が、いま、この国に起きていることを象徴しています。もはや、人々が身を隠す壁はどこにもありません。安全な場所はどこにもないのです。初期のころ、教会は人々の避難所でした。でも、ここでは、過去と現在と未来とがみな一つに混じり合って……」

そのときだった。ひゅーっと甲高い笛のような音が近づいてきた。顔をあげたダナの目に映ったのは、ウォリーの頭が破裂して真っ赤なメロンに変わる光景だった。

〈光のいたずらよ〉

ダナは最初、そう思った。

それから、ウォリーの身体が倒れて、コンクリートの地面に叩きつけられるのを、呆然《ぼうぜん》と見つめた。ダナの全身が凍りついた。信じられない思いで、その場に立ちつくした。周囲で、人々が大声で叫んでいた。

矢つぎばやに発射される狙撃音は、ますます近くなった。ダナの身体は、ぶるぶると震えが止まらなくなった。だれかの手が彼女をつかんだ。道の向こう側に連れて走ろうとしている。彼女は手を振り払い、身を放そうともがいた。

〈だめよ！　広場に戻らなきゃだめ。まだ一〇分間、たっていない。時間をむだにしてはだめ。むだ遣いするなら、ほしがらないこと……むだ遣いはいけないわ。『ダナちゃん、スープを飲んでしまいなさい。中国の子どもたちは飢えているのよ』。あなた、自分を白い雲の上の神様だと思ってるの？　言わせてもらうわ。あなたなんか偽物よ。本当の神様なら、ウォリーの頭を吹き飛ばしたりするもんですか。絶対に、絶対に、絶対にそんなことしない。ウォリーは初めての孫を待ってたのよ。神様、わたしの言葉を聞いてる？　聞いてるの？　聞いてるの？〉

ダナはショック状態だった。裏通りを、車のほうへ引っ張って連れて行かれているのに、気がついていなかった。

目を覚ましたとき、ダナはベッドのなかにいた。ベン・アルバートソンとジャン・ポール・ユベールとが、ダナの上にかがみ込んでいた。

ダナは目を上げて、彼らの顔を見た。

「夢の中の出来事じゃなかったのね。そうなんでしょ?」

ダナは瞼《まぶた》をかたく閉じた。

「気の毒なことをした」

ジャン・ポールが言った。

「怖かったろう。きみは運がよかったよ、殺されなくて」

電話のベルが室内の静けさを揺るがした。ベンが電話をとった。

「もしもし」

ちょっと耳を澄ましていた。

「ええ、ちょっと待ってください」

ベンがダナのほうを向いた。

「マット・ベーカーからだ。電話に出られる?」

「ええ」

ダナは身を起こした。ちょっと時間がかかったが、起き上がって受話器をとった。

「もしもし」

喉がカラカラで、なかなか声が出ない。

受話器の向こうで、マット・ベーカーが声高に言った。

「ダナ、帰って来い」

ダナはかすれた声で言った。

「ええ、帰りたいわ」

「いちばん早い便でそこを出られるよう、すぐに手配をするよ」

「ありがとう……」

ダナは受話器を落とした。

ジャン・ポールとベンは、ダナをベッドに寝かせた。

「かわいそうに。大変だったね」

ジャン・ポールはまた言った。

「こんなとき、なにも、なにも言えないよ」

涙がダナの頰を伝い落ちていた。

「なぜ、あの人たちはウォリーを殺したの？　ウォリーはだれにも危害を加えなかったじゃない。いったい、どうなってるの？　人々が、まるで動物みたいに殺されているのに、だれも、なにもしない。だれも、なにもしようとしない！」

ベンが言った。

「ダナ、ぼくらにはなにもできないんだよ」

「なにかできるはずよ！」

ダナの声は怒りに燃えていた。

「人々になんとかしようと訴えなきゃ。この戦争の問題は、爆破された教会や、建物や、道路じゃない。人間なのよ。罪のない人々、その人々の頭がぶっとばされているの。わたしたちは、それを報道すべきよ。この戦争を報道する真の意味はそこにあるんだわ。それしかないのよ」

ダナはベンに向かって大きく息をついた。

「ベン、わたしは残る。あいつらを恐れて、ここを出たりなんか、するもんですか」

ベンは心配そうにダナを見ていた。

「ダナ、本気で……？」

「本気よ。自分の責任が、いまやっとわかった。マットに電話して伝えてくれる？」

ベンはしぶしぶ答えた。

「きみが本当にそうしたいなら」

ダナはうなずいた。

「わたしは本当にそうしたいの」

ベンが部屋から出て行くと、ジャン・ポールが言った。

「じゃ、ぼくも失礼することに……」

「行かないで」

ダナが叫んだ。彼女の目に、一瞬、破裂するウォリーの頭と、地面に倒れる姿がまざまざと甦《よみがえ》ってきたのだ。

「行かないで」

ジャン・ポールを見上げて言った。

「お願い。ここにいてちょうだい」

ジャン・ポールはベッドの上に腰をおろした。ダナは彼の身体に両腕をまわし、胸許《むなもと》に引き寄せた。


翌朝、ダナはベン・アルバートソンに言った。

「カメラマンを手配できる？　ジャン・ポールから、ごく最近爆破された、コソボの孤児院のことを聞いたの。そこへ行って取材しようと思うの」

「だれか探すよ」

「ベン、ありがとう。わたし、先に行ってます。現地で会いましょう」

「気をつけろよ」

「心配しないで」

ヨーバンが路地で待っていた。

「コソボに行ってちょうだい」

ダナが言った。

ヨーバンが振り返って、ダナを見た。

「それは危険ですよ。そこへ行くには、森の中を突っ切るしかないし……」

「悪運のつけなら、もうわたしたちの分は払ったわ。ヨーバン、そうでしょ？」

「お望みどおりにしますよ」


車は街を突っ走り、一五分後には、深い森林地帯を走っていた。

「あとどのくらいかかるの？」

ダナが訊ねた。

「もうじきですよ。着くまでに、あと……」

その瞬間、ランドローバーが地雷を踏んだ。

第二一章

投票日が近づくにつれて、大統領選レースはどちらが勝つか予想できないほどに切迫してきた。

「われわれは、オハイオ州を獲得しなければなりません」

ピーター・テイガーは言った。

「それで、選挙人の二六票をとれます。アラバマは大丈夫。これで一〇票。それと、フロリダの一四票も獲得している」

テイガーは表を持ち上げて見せた。

「イリノイ州二六票、ニューヨーク州四三票、カリフォルニア州四〇票。当選者を予想するのはまだ早すぎます」

デービス上院議員のほかは、みんな心配していた。

「わしは鼻が利《き》くんだ」

デービスは言った。

「勝利の匂いがするぞ」

ミリアム・フリードランドは、依然として昏睡《こんすい》状態のまま、フランクフォートの病院で眠っていた。


一一月一日、火曜日。いよいよ大統領選挙の当日を迎えた。

レスリーは、テレビの開票速報を自宅で見守っていた。

オリバー・ラッセルは、一般投票で二〇〇万票以上を、そして選挙人票で最高得票を獲得した。

ついに、オリバー・ラッセルは世界最高の金的を射止めて、大統領になったのだ。

選挙戦を徹底的に追いかけてきたという点では、レスリー・スチュアートを凌《しの》ぐ人物はいなかっただろう。まるで大統領選挙の日程に合わせるかのようにして、めまぐるしく自分の帝国を拡大し続けてきた。彼女はアメリカ全土において、新聞社、テレビ局、ラジオ局を買収し、イギリス、オーストラリア、ブラジルにも手を広げた。

「いつになったら、満足できるんですか」

編集局長のダーリン・ソラナが訊いた。

「もうじき」

レスリーは答えた。

「もうじきだわ」

まだ、画竜点睛《がりようてんせい》を欠いていた。彼女の帝国の中心に据えるべき大きな目玉。それが、スコッツデールの晩餐《ばんさん》会でついに見つかった。

招待客の一人がこう言ったのだ。

「ここだけの話だけど、マーガレット・ポートマンが離婚するらしいわよ」

マーガレット・ポートマンは、ワシントン・トリビューンの社主だった。

レスリーはそのときはなにも言わなかった。だが翌朝早く、お抱えの弁護士の一人、チャード・モートンに電話をかけた。

「ワシントン・トリビューン社が売りに出されてないかどうか、調べてちょうだい」

その日遅くなって、返事があった。

「スチュアートさん、どこでお聞きになったか知りませんが、あなたのおっしゃるとおりらしいですよ。ポートマン夫妻は、人知れず離婚と財産分与の手続きをとっているようです。ワシントン・トリビューン・エンタープライズ社が売りに出されるのは必至です」

「買いたいわ」

「莫大《ばくだい》な値段の取引になりますよ。ワシントン・トリビューン・エンタープライズが所有するものといえば、系列新聞、雑誌、テレビネットワーク……」

「わたし、買いたいのよ」

その日の午後、レスリーとチャード・モートンはワシントンDCへ飛んだ。


レスリーはマーガレット・ポートマンに電話を入れた。数年前にちょっと会ったことがある。

「わたくし、いま、ワシントンに来ておりますの。それで……」

レスリーの言葉に、相手の声がかぶさった。

「わかってますよ」

〈噂って、あっという間に広まるものね〉

レスリーは思った。

「トリビューン・エンタープライズを売却するかもしれないと、耳にしたのですが」

「かもしれないわね」

「社内見学を手配していただけませんか」

「レスリー、あなた、お買いになりたいの？」

「かもしれません」

マーガレット・ポートマンはマット・ベーカーを呼びにやった。

「レスリー・スチュワートを知ってる？」

「ええ。あの氷の王女《アイス・プリンセス》でしょう」

「あと数分で、彼女がここに来るわ。社内を案内してやってちょうだい」

トリビューンの社員なら、みんな、売却の話を知っていた。

「トリビューンをレスリー・スチュアートに売るのは間違いですよ」

マット・ベーカーは低い声で言った。

「どうしてそんなことを言うの？」

「まずですね、彼女が新聞事業について本当に知っているとは思えない、ということです。あの人が買った他の新聞が、どんな状態かごらんになったことがありますか？　品質の高い新聞を、安っぽいタブロイド新聞に変えてしまったんです。きっとトリビューンもぶち壊されるでしょう。彼女は……」

マットは目を上げた。レスリー・スチュアートが戸口に立って、耳を傾けていた。

マーガレット・ポートマンが口を開いた。

「レスリー！　お会いできてうれしいわ。こちらはトリビューン・エンタープライズの編集局長、マット・ベーカー」

二人は、冷たい挨拶《あいさつ》を交わした。

「マットが社内をご案内します」

「ぜひ、お願いしますわ」

マット・ベーカーは吐息をついた。

「わかりました。じゃあ、始めましょう」


社内見学の初めのうち、マット・ベーカーはわざとバカていねいに言った。

「わが社の組織図はこうなっております。一番上に編集局長がいまして……」

「それがあなたね、ベーカーさん」

「そうです。わたしの下に、編集主幹と編集スタッフがいます。スタッフが所属している部署は、首都圏、全国、海外、スポーツ、経済、生活とファッション、ピープル、行事予定、読書、不動産、旅行、食品……。あと二、三、言い忘れたものがあるかもしれませんが」

「すごいのね。ワシントン・トリビューン・エンタープライズの従業員は何人ですか？　ベーカーさん」

「五〇〇〇人以上です」

二人は整理部のそばを通った。

「ここで、ニュース編集者が、一ページずつレイアウトをします。彼が、写真をどこに、どのページにどの記事を入れるか、決めるのです。整理部は見出しを書き、記事を編集して制作室でまとめます」

「とても興味深いわ」

「印刷工場もごらんになられますか」

「ええ、お願いします。全部、見ておきたいの」

彼はなにか、ごもごもと言った。

「えっ、なんておっしゃったの？」

「承知しましたと申したんです」

二人はエレベーターで階下に降り、次のビルへ歩いていった。印刷工場は四階にあり、フットボールのフィールドを四つ合わせたほどの大きさだった。この広大なスペースのなかは、完全に自動化されていた。三〇台のロボットカーが、巨大な紙のロールをあちこちの作業台に落とすべく、ビルのなかを運搬して回っていた。

ベーカーが説明した。

「各ロールの重さは、一トンを超えます。ロールを延ばすと一二、三キロメートルの長さになります。紙は印刷機のなかを、時速約三四キロで通ります。大型のロボットカーなら、一回で一六個のロールを運搬できます」

印刷機は、部屋の両側に三台ずつ、合計六台あった。レスリーとマット・ベーカーはしばらくそこに佇《たたず》み、印刷された新聞紙が自動的に組み合わされ、切られ、畳まれ、束ねられ、待機中の輸送トラックへ運ばれていくさまを見つめていた。

「昔は三〇人がかりでやっていたことが、いまでは一人でできます」

マットが言った。

「技術時代ですな」

レスリーはちらっとマットの顔を見て言った。

「合理化時代よ」

「経営財政についてご関心がおありかどうか存じませんが」

マットが皮肉っぽく言った。

「おそらく、お抱えの弁護士か会計士にお話ししたほうが……」

「ベーカーさん、とても興味がありますわ。あなたの編集局予算は一五〇〇万ドルですわね。一日の発行部数が、八一万六四七四部。日曜版は、一一四万四九八部。広告比率は六八・二」

マットはレスリーの顔を見つめ、目をしばたたいた。

「おたくの社の新聞全部を合わせると、一日の発行部数は二〇〇万以上になりますね。それに日曜版が二〇四万部。もちろん、世界一大きな新聞社ではないわ。そうでしょ、ベーカーさん。世界で一番大きいのは、ロンドンのデイリー・ミラー紙とデイリー・エクスプレス紙。それぞれ一日四〇〇万部以上の発行部数があります」

マットは大きく息をついた。

「すみません。あなたのことについて、いささか認識不足でした……」

「日本には、朝日新聞、毎日新聞、読売新聞など、二〇〇を超す日刊紙があります。おわかり？」

「ええ、わかります。あなたを見くびるような感じを与えていたとしたら、お詫《わ》びします」

「了解よ、ベーカーさん。じゃあ、社主のお部屋に戻りましょう」


翌朝、レスリーはワシントン・トリビューン社の役員会議室で、ポートマン夫人と、六人の弁護士に向き合っていた。

「値段について相談しましょう」

レスリーが言った。

会議は四時間続いた。終わったとき、レスリー・スチュアートはワシントン・トリビューン・エンタープライズの社主になっていた。

予想以上に高い買物となったが、レスリーはいっこうに気にしていなかった。

それより、もっと大事なことがあったからだ。

取引が完了した日、レスリーはマット・ベーカーを呼びにやった。

「あなたはどうするおつもり？」

レスリーが訊ねた。

「わたしは辞職します」

レスリーは興味深げな眼差しを向けた。

「なぜ？」

「あなたの評判はたいしたものです。あなたの下で働きたくないという人が大勢います。この人たちが最も頻繁に使う言葉が『冷酷』です。わたしはごめん蒙《こうむ》る。うちの新聞はいい新聞です。辞めるのは残念ですが、仕事の誘いは手にあまるほどありますから」

「何年ここで働いたの？」

「一五年」

「それなのに、ぽいと捨てて行ってしまうんですか？」

「ぽいとなんか捨てません。わたしは……」

彼女はマットの目をじっと見た。

「よく聞いてちょうだい。わたしもトリビューンはいい新聞だと思うわ。でも、わたしはもっと立派な新聞にしたい。あなたに助けてもらいたいと思ってるの」

「いや、それは……」

「半年。半年だけ、やってみてちょうだい。手始めに、あなたの給料を倍にしましょう」

マットはしばらくレスリーの表情を見つめた。若くて、美しくて、知的だ。だが……彼女には、どこか気になるところがあった。

「だれが、ここの責任者になるんですか？」

レスリーはにっこり笑った。

「あなたがワシントン・トリビューン・エンタープライズの編集局長ですよ。お願いしますね」

マットは、彼女を信じてしまった。

第一二章

ダナのランドローバーが吹き飛ばされてから、六カ月がたった。ダナは、脳震盪《のうしんとう》を起こし、肋骨《ろっこつ》にはひびが入り、手首を折った。身体のあちこちに打撲傷を負っていた。激痛に苦しめられたが、幸いにも命には別条はなかった。ヨーバンは足を骨折し、擦《す》り傷と打撲傷を負った。その晩、マット・ベーカーが電話で「ワシントンに帰れ」と命令したが、ダナはこの事件に遭遇してから、いっそう滞在の意思を固めた。

「ここの人たちは、絶望の淵《ふち》にいるんです」

ダナはマットに告げた。

「彼らを放っておいて、自分だけ逃げ帰るなんてできません。帰れと命令なさるなら、わたしは退職します」

「わたしを脅迫する気か？」

「ええ」

「だと思ったよ」

続けて、マットが鋭く言い返した。

「おれさまに、脅迫なんかさせるもんか」

ダナは次の言葉を待った。

「休暇はどうかね？」

マットが訊《き》いた。

「休暇なんて要りません」

受話器の向こうでマットのため息が聞こえた。

「わかったよ。そこにいたまえ。しかし、ダナ……」

「はい？」

「お願いだから、気をつけてくれよ」

ホテルの外から、機関銃の音が響いてきた。

「わかりました」


街では一晩中、激しい攻撃が続いていた。ダナは一睡もできなかった。迫撃砲が地上で炸裂《さくれつ》する音は、そのつど建物が破壊され、家族が家を失うことを意味していた。最悪の場合は、死であることも。

朝早く、ダナとスタッフは街路に出て、撮影の準備をした。ベン・アルバートソンは迫撃砲の轟《ごう》音《おん》がしずまるのを待ってから、ダナに向かってうなずいた。

「あと一〇秒！」

「オーケー、いくわよ」

ダナは言った。

ベンが指で合図のキューを送った。ダナは廃虚を背景にして、正面のテレビカメラを直視した。

「これは、地球の表面からゆっくりと姿を消しつつある都市です。電気が切られてから、街の眼は失われました。テレビ局もラジオ局も閉鎖され、もう耳もありません……公共の交通機関はすべて停止され、街は足もなくしてしまいました……」

カメラがパンして、爆破されてだれもいない遊び場を映し出した。焼け残った、錆《さ》びたぶらんこ、すべり台。

「戦争がなかったとき、子どもたちはここで遊んでいました。笑い声があたりに満ちていました」

また近距離で、迫撃砲の発射音が聞こえた。突然、空襲警報が鳴りわたった。ダナの後ろの通りを歩いていた人たちは、まるで何も聞こえないように歩み続けている。

「いま、皆さんのお耳に届いているのは、空襲警報のサイレンの音です。人々に、走れ、隠れろと告げる警報です。サラエボ市民には、もはや隠れる場所のないのがわかっています。だから、黙って歩いているのです。国外に逃げ出せる人は、住居も家財道具も、なにもかも放棄することになります。ここに留まる人々は、死と背中合わせです。これは残酷な選択です」

ダナは夢中でしゃべり続けた。

「平和の噂はあります。多すぎるほど流れます。それに比べて、現実の平和はあまりにも遥《はる》かです。平和はいつ来るのでしょうか？　いつ、訪れるのでしょうか？　子どもたちが地下室から出てきて、またこの遊び場を使う日が、いつか来るでしょうか？　だれにもわかりません。人々は、ただその日が訪れることを望むだけです。ＷＴＥ放送、ダナ・エバンズがサラエボからお伝えしました」

カメラの赤ランプが消えた。

「さあ、すぐに引き揚げよう」

ベンが言った。

新しいカメラマンのアンディ・カサレスが、急いで機材を片付けはじめた。

一人の少年が、歩道でダナを見つめていた。ぼろぼろの汚れた服と、破れた靴をはいた浮浪児だった。泥でまだらになった顔のなかで、鋭い茶色の目が光っていた。右腕はなかった。

ダナは自分を見つめる少年を、じっと見た。そしてほほ笑みかけた。

「こんにちは」

返事がなかった。ダナは肩をすくめると、ベンのほうを向いた。

「さあ、行きましょう」

数分後、一行はホリデーインへの帰途についた。


ホリデーインは、新聞、ラジオ、テレビの記者であふれていた。彼らは一種の家族を形成していた。互いにライバルではあるが、危険な状況下に暮らしているために、何かあればすぐに助け合った。特報をいっしょに報道することもあった。

モンテネグロに大暴動発生……

ブコバルを爆撃……

ペトロボセロの病院、砲撃される……

ジャン・ポール・ユベールは、ここから立ち去った。彼が他の任務を命じられたからだが、ダナにはたまらなく寂しかった。


ある朝、ダナがホテルを出ようとすると、このまえ見かけた少年が、路地に佇《たたず》んでいた。

ヨーバンが、代替わりしたランドローバーのドアを開けて、ダナに言った。

「ダナさん、おはようございます」

「おはよう」

少年はまだ佇《たたず》んだまま、ダナを見つめていた。彼女は少年のそばに近寄った。

「おはよう」

返事はなかった。ダナはヨーバンに訊ねた。

「スロバキア語で、〝おはよう〟はなんて言うの？」

少年のほうから答えが返ってきた。

「ドブロ・フトロ」

ダナが向き直った。

「そう、英語がわかるのね」

「わかる、かも」

「名前は何というの？」

「ケマル」

「ケマル、年はいくつ？」

少年はくるりと背中を見せて、歩いていってしまった。

「知らない人を怖がってるんです」

とヨーバンが言った。

ダナは少年の後ろ姿を見送りながら、つぶやいた。

「彼のせいじゃないわ。わたしだって、怖い毎日だもの」

四時間後、ランドローバーがホリデーインの裏の路地に戻ってくると、ケマルは入口のそばに立っていた。

ダナが車から降りると、ケマルが言った。

「一二」

「え？」

思い出した。

「ああ、そうなの」

少年は年齢のわりに小さかった。ダナは少年の、ぶらぶらしている右袖を見てなにか質問しかけたが、それはやめにした。

「ケマル、どこに住んでるの？　おうちに連れてってあげましょうか？」

少年は、またしても背中を向けて行ってしまった。

ヨーバンが言った。

「行儀の悪いやつだ」

ダナが静かに言った。

「腕をなくしたときに、きっと自分の家もなくしたんだわ」

その夜、ホテルの食堂で、記者たちが話し合っていた。平和協定が間近いらしいという噂についてだった。

「ついに国連が介入よ」

ガブリエラ・オルシが言明した。

「しおどきだね」

「ぼくに言わせれば、遅すぎる」

「遅すぎるということはないわ」

ダナは低い声で言った。

翌朝、二つのニュースが放送された。最初のは、アメリカ合衆国と国連の仲介で平和協定の交渉が始まるというニュースだった。二番目は、サラエボの新聞、オスロボジェンスの社屋が爆破され、姿を消したというニュースだ。

「平和交渉の取材は、ワシントンのうちの局がやってるわ」

ダナはベンに言った。

「わたしたちは、オスロボジェンスの取材に行きましょう」

ダナは、破壊されたビルの前に立っていた。かつてオスロボジェンス新聞社のあったところだ。カメラの赤ランプが点滅した。

「毎日ここで、人が死んでいます」

ダナはレンズに向かってしゃべった。

「建物は破壊されています。でも、このビルは殺されたのです。ここのビルには、サラエボで唯一自由な新聞、オスロボジェンスの発行所がありました。真実を語る勇気を持った新聞でした。本社が爆撃された後、このビルの地下室に移り、新聞を発行し続けてきました。新聞の販売スタンドがなくなると、記者たちは街頭に出て、通行人に新聞を売りました。彼らは新聞以上のものを売っていたのです。彼らは自由を売っていました。オスロボジェンスの死によって、またここで自由の一端が死んでしまいました」

マット・ベーカーは自分のオフィスで、このニュース放送を見ていた。

「まいった。実にうまい！」

マットは助手に向かって言った。

「彼女に専用の送信機を持たせよう。手配してくれ」

「はい、承知しました」

ダナが部屋に戻ると、客が待っていた。ゴルダン・ディブヤック大佐が、椅子にゆったりと身を沈めていたのだ。

ダナは驚いて立ち止まった。

「お客さまがいらっしゃるなんて、だれも教えてくれなかったわ」

「社交儀礼で伺ったわけじゃないんです」

大佐の、黒いビーズのような小さな目が、ダナの瞳を突き刺した。

「あなたのオスロボジェンスの放送を見ましたよ」

「それで？」

ダナは鬱陶《うっとう》しそうに大佐を見た。

「あなたがわが国への入国を許可されたのは、報道をするためであって、審判を下すためではなかったはずですな」

「わたしは審判なんか……」

「最後まで聞きなさい。あなたのいう自由と、われわれの自由の概念とは、必ずしも同じではない。言っていることがわかりますか？」

「いいえ、わたしには……」

「では、エバンズさん。説明してあげよう。あなたはわが国への訪問者です。おそらく、アメリカのスパイでしょう」

「わたしはスパイなんかじゃ……」

「言葉を挟まないで。空港で忠告しましたよね。われわれは遊んでいるのではない。戦時中なんです。スパイの容疑があれば、だれでも処罰されます」

やさしい口調で言うので、かえって身震いするほど恐ろしかった。

大佐は腰を上げた。

「これが、あなたへの最後の警告です」

ダナは彼が去っていくのを見送った。

〈あんなやつに脅されて、しっぽを巻いたりなんかしないわよ〉

ダナは挑戦的に、自分に言い聞かせた。

本当は怖くてたまらなかった。


マット・ベーカーから、慰問品の小包が届いた。キャンディ、グラノーラ・バー、缶詰などのほか、たくさんの保存食品が入った大きな箱だった。ダナは箱をロビーに持っていって、他の記者たちに分配した。みな大喜びだった。

「こんなボスを持って、あなた、幸せね」

朝霞サトミが言った。

「どうすれば、ワシントン・トリビューンに就職できるかなあ」

ファン・サントスはそんな冗談を言った。


ケマルが、また路地で待っていた。生地の薄い、破れた上着は、いまにもちぎれて脱げ落ちそうだった。

「おはよう、ケマル」

少年は黙って立ったまま、半分閉じた瞼《まぶた》の下からダナを見つめていた。

「買物に行くのよ。いっしょに来る？」

返事はない。ダナはいらいらした。

「じゃ、こう言えばわかるかしら」

ダナは車の後部ドアを開けて、

「車に乗りなさい。早く」

と、せきたてた。

少年は一瞬、驚いた様子だったが、やがてゆっくりと車のほうに近づいてきた。

ダナとヨーバンは、少年が車に乗り、バックシートに座るのを見届けた。

「開いてるデパートか、洋服屋さんは、あるかしら?」

ダナがヨーバンに訊ねた。

「一軒、知っています」

「じゃ、そこに行きましょう」

最初の数分間、三人は黙って乗っていた。

「ケマル、お父さんかお母さんは、いるの?」

少年は頭を振った。

「どこに住んでるの?」

彼は肩をすくめた。

ダナは、少年が彼女のほうに身体を寄せてくるのを感じた。まるで、身体のぬくもりを求めるかのように。


衣料品店が一軒、サラエボの旧市場、バスカルシアにあった。建物の正面は爆破されていたが、店は営業していた。ダナはケマルの左手をとり、店内に入っていった。

「なにをお探しで?」

と店員が訊ねた。

「ええ、友だちの上着を買いたいのですが」

ダナはケマルに視線を移して言った。

「大きさはこの子ぐらいです」

「こちらへどうぞ」

少年用の衣服コーナーに、上着がずらりと並んでいた。ダナはケマルのほうに身を向けた。

「どれが好き？」

ケマルはひとことも発しないで立っていた。

ダナが店員に言った。

「その茶色の上着をもらうわ」

それから、ケマルのズボンに目をやった。

「ズボンと、新しい靴もいるわね」

三〇分ほどして店から出てきたとき、ケマルは新品の衣装に身を包んでいた。彼はなにも言わずにバックシートに身を滑らせた。

「お礼の言い方も知らないのか？」

ヨーバンの語気は険しかった。

ケマルはわっと泣き出した。ダナはケマルの身体に腕をまわした。

「いいのよ」

ダナは言った。

「いいのよ」

そして、思った。

〈戦争は、子どもたちに、どんな世界をもたらしたのだろう?〉


ホテルに戻ると、ケマルはダナに背中を向け、ひとことも言わずにすたすたと去ってしまった。

「あの子のような人たちは、どこに住んでいるの?」

ダナがヨーバンに訊いた。

「路上ですよ、ダナさん。サラエボにはあの子みたいな孤児が何百人といますよ。家も家族もない……」

「どうやって生き延びるの?」

ヨーバンは肩をすくめた。

「わかりません」

翌日、ダナがホテルから出ると、新しい洋服を身につけたケマルが待っていた。ケマルは顔まで洗ってあった。

昼食時の大きな話題は、平和協定のことだった。はたして効果があるのかどうかという見方で、意見が割れた。ダナは、またムラディック・スターカ教授を訪ねて彼の考えを聞こうと決めた。

教授は前に会ったときよりも、さらに弱々しく見えた。

「エバンズさん、お目にかかれてうれしいですよ。すばらしい番組を放送しておられるそうで……でも、わたしは」

と肩をすくめた。

「残念ながら、電気が来ないので、テレビは見られません。で、きょうはなにを聞きたいのですか？」

「平和協定について、あなたのご意見をお伺いしたいと思って」

教授は、椅子の背にもたれかかり、言葉を選びながら言った。

「サラエボの将来の計画について、米オハイオ州のデイトンで彼らが決定を下すというのは、わたしにとってたいへん興味深いことです」

ダナが質問した。

「彼らはトロイカ方式、つまり、イスラム人、クロアチア人、セルビア人による大統領三人制に賛成しました。教授は、この方式が成功するとお思いですか？」

「奇跡を信じるならね」

彼は顔をしかめて言った。

「ここには国の立法機関が一八、さまざまな地方政府が一〇九もあります。まったく、政治におけるバベルの塔ですよ。これが〝仲人のまとめた強制結婚〟の実態です。彼らはそれぞれが、自分の自治権を手放そうとはしません。自分の旗も、車のナンバーも、通貨も変えないと主張しています」

教授は首を横に振った。

「これでは一時の平和だ。朝だけの平和にすぎない。夜には警戒することです」


ダナ・エバンズは単なる一レポーターを超えて、国際的な伝説の人となりつつあった。ダナのテレビ番組からは、熱意あふれる知的な人間性がにじみ出ていた。ダナが親身になって心配するものは、視聴者も親身になって心配し、ダナの気持ちを理解するのだった。

マット・ベーカーのもとには、ダナ・エバンズの番組を買いたいという、他の報道機関からの申し込みが来はじめていた。マットは喜んだ。

〈ダナが行ったのは、サラエボのためになりたいがためだった〉

彼は思った。

〈きっと、成功するだろう〉

新しく専用の衛星送信機を持ってから、ダナはいままでよりもいっそう忙しくなった。ユーゴスラビアにおける通信衛星の、空いた時間に合わせなくてもすむからだ。ダナとベンは、報道したいネタをいっしょに決め、ダナが記事を書いて放送した。生放送のときもあれば、テープ収録のときもあった。ダナ、ベン、アンディの三人は、必要な背景があれば、いつ、どんなものでも街頭に出ていって撮影した。ダナは編集室でナレーションを録音し、ワシントンへ送信した。

昼食の時間だった。ホテルの食堂のテーブルの真ん中には、サンドイッチを山積みにした大皿が置かれていた。記者たちはサンドイッチをせっせと自分の皿にとっていた。BBC放送のロデリック・マンがAPから届いた記事を手にして、部屋に入ってきた。

「みんな、これを聞いてくれよ」

マンが大声で記事を読み上げた。

「WTE海外特派員のダナ・エバンズのニュースは、いまやニュース放送局一二局に配信されている。ミス・エバンズは、人も羨《うらや》むピーボディ賞にノミネートされた……」

記事はまだ続いていた。

記者の一人が皮肉っぽく言った。

「そんな有名人とお付き合いができるとは、われわれは実に幸せだねえ」

このとき、ダナが入ってきた。

「こんにちは。きょうはお昼を食べる時間がないの。サンドイッチをもらって行くわ」

サンドイッチを数個とると、紙ナプキンに包んだ。

「またあとでね」

記者たちは、ダナが出て行くのを黙って見つめていた。

ダナが外に出ると、ケマルが待っていた。

「ケマル、こんにちは」

返事はない。

「さあ、車に乗って」

ケマルがバックシートに滑り込む。ダナはサンドイッチを一つ手渡すと、その横に座って、ケマルがかぶりつくのを見ていた。もう一つ渡した。彼はなにも言わず、また食べ始めた。

「ゆっくり食べるのよ」

ダナが言った。

「どちらに行きますか？」

ヨーバンが訊いた。

ダナはケマルの顔をのぞき込んだ。

「どこなの？」

ケマルはきょとんとして、ダナを見た。

「ケマル、おうちに連れてってあげるわ。どこに住んでるの？」

ケマルは頭を振った。

「教えてちょうだい。どこに住んでるのよ」


二〇分後、車はミルヤスカの堤防のそばにある、広い空地の前で止まった。何十もの大きな段ボール箱が、あたりに散在していた。空地には、ありとあらゆるごみが散乱している。

ダナは車から出て、ケマルのほうを向いた。

「あなた、ここに住んでるの？」

少年はしぶしぶうなずいた。

「ほかの子どもたちもここに？」

ケマルはまたうなずいた。

「ケマル、ここのことを報道したいの」

彼は頭を振って言った。

「だめ」

「なぜ、だめなの？」

「警官が来て、ぼくたちを連れてってしまう。放送しないで」

ダナはちょっとのあいだ、ケマルの表情をうかがっていたが、やがて言った。

「わかった。約束する」


翌朝、ダナはホリデーインの部屋を引き払った。彼女が朝食に現れないので、イタリアのアルトレ放送局から派遣されているガブリエラ・オルシが、記者たちに訊いた。

「ダナはどこ？」

ロデリック・マンが答えた。

「出て行っちゃった。農家を借りて住むそうだ。一人になりたいんだって」

ゴリゾント22のロシア人、ニコライ・ペトロビッチが言った。

「一人になりたいのは、われわれだって同じさ。要するに、われわれはダナのレベルじゃないってわけか」

記者たちのあいだには、ダナの行為に批判的な雰囲気が漂っていた。

つぎの日の午後、ダナのもとにまた大きな慰問品の小包が届いた。

ニコライ・ペトロビッチが言った。

「ダナはここにいないんだから、われわれで頂くとしようじゃないか」

ホテルの係員が言った。

「申し訳ありませんが、後でエバンズさんの使いが取りに来られますので」

数分後、ケマルが到着した。記者たちは、ケマルが箱を持ち去るのを憮然《ぶぜん》として眺めていた。

「もう、ぼくらに分けてもくれない」

ファン・サントスが愚痴《ぐち》をこぼした。

「ダナは有名になったので、頭に血がのぼってるんだ」


翌週もダナはずっと放送を続けたが、ホテルには二度と姿を見せなかった。ダナを非難する声がますます大きくなってきた。

記者たちの話題は、ダナと、彼女の身勝手さに集中した。数日後、また大きな慰問品の箱が届いたとき、ニコライ・ペトロビッチはホテルの係員のところへ行った。

「ダナ・エバンズのところから、だれか取りに来るの？」

「はい、そうです」

彼は急いで食堂に戻った。

「また、箱が届いたよ」

そう言って、つづけた。

「だれかが取りに来るそうだ。そいつの後をつけて行って、エバンズさんにおれたちの意見を伝えたらどうだろう？　自分だけが偉いと思い上がっている記者のことを、おれたちがどう思ってるかってね」

賛成の声がいっせいにあがった。

小包を取りにケマルが現れた。ニコライが話しかけた。

「その箱、エバンズさんのところに持って行くの？」

ケマルはうなずいた。

「エバンズさんが、ぼくらに会いたいそうだ。いっしょに行くよ」

ケマルはちょっとニコライを見て、肩をすくめた。

「きみは、ぼくらの車に乗って行けばいい。行き先を言いなさい」

ニコライ・ペトロビッチが言った。

一〇分後、車の列が人気《ひとけ》のない裏道を進んでいた。郊外に出たあたりで、ケマルは爆破された古い農家を指差した。車の列が止まった。

「きみ、先に行って、小包をエバンズさんに渡しなさい」

ニコライが言った。

「ぼくらは、あの人をびっくりさせたいから」

ケマルが農家に入っていくのを、記者たちが見守った。少し待ってから、彼らは農家のほうに進み、玄関のドアを開けてさっと中に踏み込んだ。みんながいっせいに立ち止まった。

ショックだった。部屋には、肌の色、年の頃、大きさがそれぞれに異なる子どもたちでいっぱいだった。子どもの大半は身体障害者だった。壁ぞいに軍隊用の簡易ベッドが並んでいた。ドアがぱっと開いたとき、ダナは慰問小包の中身を子どもたちに分け与えているところだった。記者の一団が踏み込んできたのを見て、ダナはびっくりした顔を上げた。

「まあ、みんな、なにしに来たの？」

ロデリック・マンは恥ずかしそうに周りを見まわした。

「ダナ、ごめんよ。ぼくらは……間違いをしでかした。実は……」

ダナは記者たちの顔を見て、言った。

「わかったわ。この子たちはね、孤児なの。どこにも行くところがないし、世話をしてくれる人もいないの。大半の子たちは入院中に、病院へ爆弾を落とされたのよ。警察に見つかれば、いわゆる孤児院に収容されるでしょうけど、そこに入れられたら、死んじゃう。でも、ここにいても死んじゃうし。わたしはなんとか、彼らを国外に連れ出す方法がないかと考えているの。まだ、いい考えは浮かばないわ」

ダナは記者たちに、懇願するようにこう言った。

「なにかいい方法はない？」

ロデリック・マンがゆっくりと言った。

「あると思う。今晩、赤十字の飛行機がパリに発つ。パイロットがぼくの友人なんだ」

ダナは期待を込めて訊ねた。

「その人に聞いてみてくれる？」

マンがうなずいた。

「やってみるよ」

ニコライ・ペトロビッチが口を挟んだ。

「ちょっと待った。おれたちはそんなことに関わるわけにはいかん。たちまち国外追放だぞ」

「きみは関わらなくてもいい」

と、マンが言った。

「ぼくらがやる」

「おれは反対だ」

ニコライは頑固に言った。

「みんなが、危険に巻き込まれて迷惑する」

「この子たちはどうなの？」

ダナが反問した。

「この子たちの、生命の問題なのよ」


午後遅く、ロデリック・マンがダナに会いにきた。

「友人と話をつけたよ。喜んで、子どもたちをパリに連れて行くと言ってくれた。パリなら安全だ。彼にも二人の息子がいるんだ」

ダナは心が躍った。

「すてきだわ。本当にありがとう」

マンはダナを見つめた。

「ぼくらのほうこそ、きみにお礼を言わなきゃ」


その夜八時、車体に赤十字のマークをつけたバンが、農家の玄関前に止まった。運転手がライトを点滅させると、暗闇の中からダナと子どもたちが走り出てきて、バンに飛び乗った。

一五分後、車はブトミル空港へと走っていた。飛べる飛行機は、必需品と重傷患者を運ぶための赤十字の輸送機だけだった。ほかの飛行機はみな、地上で釘付けになっていた。空港までの道のりは、ダナの生涯で最も長いドライブに思われた。永遠に到着しないのではないかと思えたくらいだ。前方に空港の赤い灯が見えたとき、ダナは子どもたちに言った。

「もうすぐよ」

ケマルが、ダナの手を堅く握りしめていた。

「大丈夫よ」

ダナはケマルを力づけた。

「あなたたちみんな、ちゃんと世話をしてもらえるわ」

そして、こう思っていた。

〈わたしは、寂しくなるけど〉

空港で、警備員の「進め」の合図に従って、バンは待機中の輸送機のほうに寄っていった。機体には赤十字のマークがついている。飛行機のそばに、パイロットが立っていた。

彼はダナに、急げと合図した。

「まったくもう、遅いじゃないか！　早く子どもたちを乗せて！　二〇分前に離陸するはずだったんだよ」

ダナは子どもたちを、タラップから機内へと追い立てた。最後にケマルがタラップを上った。

ケマルはダナのほうを見た。唇が震えていた。

「また会える？」

「きっと会えるわ」

ダナは言った。ケマルを抱き寄せ、一瞬強く胸に抱きしめてお祈りをした。

「さあ、早く乗って、ケマル」

数秒後、扉が閉まった。エンジンの音が響き、輸送機は滑走路へと走り出した。

ダナとマンは、立ち尽くしていた。二人が見守る滑走路の先で、飛行機は空中に舞い上がり、西北の空、パリへ向けて、一直線に飛んでいった。

「あなたはすばらしいことをした」

運転手が言った。

彼がなおも言葉を続けようとしたときである。背後で一台の車が急停車した。二人は振り返った。ゴルダン・ディブヤック大佐は、車から飛び降りると、機影の消えゆく空の彼方をにらみつけた。大佐のわきに、ロシア人記者のニコライ・ペトロビッチが立っていた。

ディブヤック大佐は、ダナのほうに身体を向けた。

「あんたを逮捕する。スパイ行為の刑罰は死刑だ、と注意したはずだ」

ダナは大きく息をついた。

「大佐、わたしをスパイ容疑で裁判にかけるときには……」

大佐はダナの目を見つめ、優しい声で言った。

「だれが、裁判にかけるなんて言ったかね？」


オリバー・ラッセルは、大統領就任式を控えて気持ちが高揚していた。

〈アメリカの国民はもちろんのこと、ぼくは世界の人々のために尽くすのだ〉

レスリー・スチュアートは、テレビに頻繁に現れるオリバーの姿を、ワシントン・トリビューン・エンタープライズの社主室で見ていた。その顔には、ときどき薄い笑みが浮かんだ。

〈生まれてきてよかったと、いまは思っているのでしょうね、オリバー？〉

〈氷の淑女[上] 了〉

氷の淑女・上

1997年10月1日　初刷
1997年10月15日　3刷

著　者　シドニィ・シェルダン
訳　者　木　下　望
発行者　徳　間　康　快
印　刷　凸版印刷株式会社
カバー印刷　真生印刷株式会社
製　本　大口製本印刷株式会社

東京都港区東新橋1—1—16　郵便番号　105—55
TEL 03 (3573) 0111　株式会社 徳　間　書　店
振替　00140-0-44392

© Nozomi Kinoshita 1997, Printed in Japan
落丁・乱丁はおとりかえいたします。

ISBN4-19-860758-3

■徳間書店の好評既刊

遺産（上・下）

シドニィ・シェルダン

急死した大富豪が遺した遺産は50億ドル！　その遺産は二男一女、そして私生児の四人の誰の手に……というところに現れた、相続人を名乗る一人の絶世の美女。抜群の面白さ！

スリーパーズ

ロレンゾ・カルカテラ
田口俊樹［訳］

NYのスラム街育ちの著者が三人の仲間と少年院で送った恐怖の日々。やがて二人が看守を殺し復讐するが…。全米でベストセラーとなり、ブラッド・ピット主演で映画化も!!

黙殺

デイヴィッド・バルダッチ
村上博基［訳］

今度捕まったら極刑必至の泥棒ルーサー。ある夜忍び込んだ豪邸で彼は大統領と愛人の密会を目撃する――。C・イーストウッド主演で映画化の傑作サスペンス!!

石の環

ジョアン・D・ランバート
大森洋子［訳］

人類はいつ愛を知ったのか？　150万年前の太古を舞台に主人公ジーナとその部族の壮絶なサバイバルを描きながら、現代人が失ってしまったものを問う大叙事詩。